Cyhoeddwyd gan Camfa, 13 Heol Llanfair, Pontcanna, Caerdydd CF1 9PZ.

ISBN
1 901358 27 5

Argraffwyd yng Nghymru gan WASG ZENITH (Zenith Media), Zenith House, Ystad Ddiwydiannol Moy Rd, Ffynnon Taf, Caerdydd CF4 7QR.

PUM AWDUR CYFOES

Cyflwyniad i fyfyrwyr ail iaith

Menna Baines

CAMFA

COLEG SIR GAR	
Dawson	19-12-06
	3.33

CYDNABOD

Diolch i'r awduron a'r gweisg am ganiatâd parod i gyhoeddi darnau o waith fel a ganlyn: Aled Islwyn/Gwasg y Dref Wen (*Sarah Arall*); Alun Jones/Gomer (*Ac Yna Clywodd Sŵn y Môr*); Angharad Tomos/Y Lolfa (*Yma o Hyd*); Robin Llywelyn/Gomer ('Morys y Gwynt ac Ifan y Glaw' o *Y Dŵr Mawr Llwyd*); Mihangel Morgan/Gomer (*Dirgel Ddyn*). Diolch hefyd i Marian Delyth am y lluniau a'r dylunio, i Wasg Zenith am eu gwaith gofalus, i Delyth George am ei hanogaeth, i Meinir Evans am ddarllen y proflenni ac i Peredur Lynch am gyngor a sawl cymwynas.

CYNNWYS

RHAGYMADRODD

Egluro'r patrwm

Amcan y gyfrol hon yw cyflwyno gwaith rhai o brif awduron rhyddiaith Gymraeg heddiw, a hynny ar gyfer myfyrwyr ail iaith. Mae hi wedi'i hanelu'n arbennig at rai sy'n astudio Cymraeg Ail Iaith Safon Uwch, ond mae'n bosibl y bydd hi'n ddefnyddiol hefyd i rai sy'n astudio Cymraeg Iaith Gyntaf at TGAU a Safon Uwch, ac i fyfyrwyr ail iaith yn adrannau Cymraeg ein colegau.

Mae'r gyfrol yn ceisio rhoi arweiniad i ddadansoddi rhyddiaith greadigol, gyda phob ymdriniaeth yn canolbwyntio ar un gwaith gan yr awdur dan sylw. Ceir enghraifft o'r gwaith hwnnw ar ddiwedd yr ymdriniaeth. Mae'r patrwm ychydig yn wahanol yn achos Robin Llywelyn; gan mai dwy stori weddol fyr sydd dan sylw yma, penderfynwyd troi at stori wahanol am enghraifft i'w dyfynnu. Mae'r tasgau ar gyfer pob darn wedi'u seilio ar gwestiynau arholiad. Er fod y rhan fwyaf o'r tasgau â rhyw fath o gysylltiad â'r hyn sy'n cael ei drafod yn y bennod, y bwriad yw cynnig cyfle i'r myfyrwyr ymateb yn bersonol i'r gwaith. Mae yma hefyd dasgau yn eu gwahodd i roi cynnig eu hunain ar ysgrifennu'n greadigol. Yn yr eirfa, mae'r pwyslais ar egluro'r geiriau mwyaf dieithr, termau, ffurfiau llafar ac idiomau. Wrth gynnig geirfa ddethol, y gobaith yw y bydd y gyfrol yn help i'r myfyrwyr ddod yn gyfarwydd â defnyddio geiriadur – sgil defnyddiol arall ar gyfer yr arholiad ysgrifenedig.

Rhyddiaith Gymraeg – golwg ar y traddodiad

Yr Oesoedd Canol a'r stori lafar

Mae'r traddodiad o ddweud straeon yn mynd yn ôl ymhell yng Nghymru. Yn llysoedd yr Oesoedd Canol, roedd rôl bwysig i'r storïwr proffesiynol, neu'r 'cyfarwydd', fel roedd yn cael ei alw. Dweud straeon yr oedd hwn, nid eu darllen, ac nid unrhyw straeon, ond stoc o rai traddodiadol. Roedd y rhain i gyd ar ei gof, ond roedd angen iddo fod yn dipyn o berfformiwr er mwyn dod â nhw'n fyw i'r gynulleidfa. Mae rhai straeon gwych o'r cyfnod hwn yn dal gennym mewn llawysgrif heddiw, a'r rhai enwocaf yw pedair stori sy'n cael eu hadnabod fel *Pedair Cainc y Mabinogi*. Mae'n debyg iddyn nhw gael eu cyfansoddi rywbryd yn yr unfed ganrif ar ddeg, ond mae llawer o'r deunydd sydd ynddyn nhw yn perthyn i gyfnod llawer cynharach. Efallai mai straeon llafar oedden nhw i ddechrau, cyn cael eu hysgrifennu, neu efallai iddyn nhw gael eu cyfansoddi wrth gael eu hysgrifennu. Does dim enw awdur yn y llawysgrifau, ond mae nifer o bethau yn y chwedlau sy'n awgrymu eu bod yn waith un awdur. Mae yma ddigon o ddrama – ymladd, dial, cosbi, lladd, godineb – ac er mai ffantasi yw llawer o'r cynnwys, mae yma gymeriadau hawdd credu ynddyn nhw, deialog naturiol a themâu clir. Mae eu cynnwys a'u crefft yn rhoi'r Mabinogi ynghanol llenyddiaeth orau Ewrop, ac maen nhw'n dal i ysbrydoli awduron yng Nghymru heddiw.

Ar wahân i'r Mabinogi, mae yna chwedlau cynnar iawn ar gael yn y Gymraeg am y brenin Arthur, gan gynnwys *Culhwch ac Olwen*, y chwedl Arthuraidd hynaf sydd wedi goroesi mewn unrhyw iaith. Erbyn diwedd yr Oesoedd Canol, fodd bynnag, mae'n ymddangos fod llai o ryddiaith greadigol wreiddiol, er fod y Gymraeg ysgrifenedig yn cael ei defnyddio'n helaeth mewn meysydd eraill fel hanes, y gyfraith, daearyddiaeth a diwinyddiaeth.

Y Dadeni a gwaith diweddarach

Erbyn canol yr unfed ganrif ar bymtheg, roedd dylanwad y Dadeni wedi cyrraedd Cymru, gan arwain at gyhoeddi llyfrau Cymraeg am y tro cyntaf. Yn 1588 cyhoeddwyd y cyfieithiad llawn cyntaf o'r **Beibl**, a bu hwn yn sylfaen i lawer o ysgrifennu crefyddol Cymraeg yn y ddwy ganrif wedyn. Pwrpas yr holl ysgrifennu yma oedd gwella cyflwr ysbrydol pobl Cymru, ond yng ngwaith ambell awdur, fel **Morgan Llwyd**, roedd yna hefyd ddawn greadigol fawr ar waith.

Mae ambell lyfr o gyfnod diweddarach yn cael ei ystyried yn glasur heddiw, er enghraifft *Gweledigaetheu y Bardd Cwsc* (1703) gan **Ellis Wynne**, gwaith dychanol yn darlunio pechaduriaid yn uffern.

Y ganrif ddiwethaf a datblygiad y nofel

Mae golwg fras iawn fel yna yn dangos bod traddodiad rhyddiaith Cymraeg i'w gael, un sy'n ymestyn yn ôl ymhell. Ond yn gyffredinol, barddoniaeth sydd wedi cael y lle pwysicaf yn llenyddiaeth Cymru ar hyd y canrifoedd. Efallai mai dyna un rheswm pam y bu awduron Cymraeg yn araf iawn yn cydio mewn ffurf fel y nofel, prif ffurf lenyddol y cyfnod modern. Mae'n sicr fod nifer o resymau eraill hefyd, ond beth bynnag am hynny, fe ddaeth y nofel Gymraeg o'r diwedd. Cyfieithiadau o nofelau Saesneg oedd y rhai cyntaf, tua chanol y ganrif ddiwethaf, ond roedd hynny'n ddigon i dynnu sylw rhai ysgrifenwyr at bosbiliadau'r ffordd yma o ddweud stori. Roedd yr ymdrechion cynharaf yn rhoi mwy o bwyslais ar y neges (pregethu yn erbyn yfed, fel rheol) nag ar y stori, ond yn raddol newidiodd hynny, a chafodd y ffordd ei pharatoi ar gyfer y nofelydd Cymraeg go iawn cyntaf. Roedd **Daniel Owen** yn ysgrifennu yn niwedd y ganrif ddiwethaf, a llwyddodd mewn tair neu bedair o nofelau i greu darlun byw o fywyd y cyfnod hwnnw yn yr ardal ddiwydiannol yn y gogledd-ddwyrain lle cafodd ei fagu. Roedd yn gallu adrodd stori, creu cymeriadau a llunio deialog, a defnyddiodd y doniau hyn, ynghyd â dychan a hiwmor, i dynnu sylw at ragrith dyn.

Hanner cyntaf y ganrif hon a llenorion bro'r chwareli

Ar ôl Daniel Owen, bu datblygiad y nofel Gymraeg yn ansicr. Bu'n rhaid disgwyl tan ddauddegau a thridegau'r ganrif hon cyn cael rhagor o nofelau da, a nofelau unigol gan wahanol awduron yw'r rheiny. Ond yn y pedwardegau, cafwyd pump o nofelau difyr gan un dyn, y rhan fwyaf ohonyn nhw'n darlunio cymdeithas chwareli llechi'r gogledd. Ysgrifennodd **T. Rowland Hughes** y nofelau i gyd o fewn pum mlynedd a hynny er ei fod yn dioddef o *multiple sclerosis*, ac mae'n bosibl y byddai wedi mynd ymlaen i ysgrifennu llawer mwy onibai iddo farw'n ifanc. Magodd cymdeithas y chwareli nifer o lenorion eraill, gan gynnwys **Kate Roberts** – awdur rhyddiaith pwysicaf y Gymraeg yn y ganrif hon, ym marn llawer. Mewn nofelau ac mewn straeon byrion, dangosodd Kate Roberts bobl o gefndir dosbarth gweithiol yn ymdrechu'n galed i wneud bywoliaeth, ac effaith hynny ar ansawdd eu bywydau. Llenor arall wedi'i fagu yng nghysgod chwarel oedd **Caradog Prichard**. Dim ond un nofel a ysgrifennodd ef, ond y nofel honno, *Un Nos Ola Leuad* (1961), yw nofel orau'r iaith Gymraeg, yn ôl rhai beirniaid. Roedd yn nofel fentrus o ran ei phwnc, gwallgofrwydd, o ran y ffordd y mae'n cael ei hadrodd, ac o ran ei defnydd o iaith lafar.

Y chwedegau a'r saithdegau – agor y drysau

Cyn cyhoeddi *Un Nos Ola Leuad*, fodd bynnag, roedd un awdur arall wedi torri tir newydd trwy gyhoeddi dwy nofel yn portreadu cymdeithas Gymraeg gyfoes – nid cymdeithas y chwareli y tro hwn, ond cymdeithas amaethyddol, fwy cyfoethog. Roedd **Islwyn Ffowc Elis** yn gweld yr angen am ddeunydd darllen poblogaidd yn yr iaith, am straeon da, a dyna pam yr ysgrifennodd *Cysgod y Cryman* (1953) ac *Yn Ôl i Leifior* (1956). Ar ôl cyhoeddi'r ddwy nofel yma, ymddangosodd llawer mwy o nofelau gan awduron newydd ifanc fel **Eigra Lewis Roberts, Jane Edwards** a **John Rowlands**. Roedd fel petai drws wedi'i agor, ac yn ystod y chwedegau a'r saithdegau cawsom nofelau hanes, nofelau ditectif, nofelau antur, nofelau serch a nofelau'n trafod seicoleg unigolion. O'r diwedd, roedd y nofel yn cael lle canolog mewn llenyddiaeth Gymraeg.

Amrywiaeth heddiw

Yn ystod yr ugain mlynedd diwethaf bu datblygiad pellach. Mae'n arwydd da fod yna ormod o nofelwyr Cymraeg erbyn heddiw i ddechrau eu henwi yma, ond gellir sôn yn gyffredinol am ffasiynau a themâu. Ar y cyfan bu nofelwyr yn fwy parod i ddarlunio'r hyn a oedd yn digwydd o'u cwmpas, gan ddelio gyda phroblemau heddiw fel diweithdra, diboblogi cefn gwlad, argyfwng yr iaith a'r diwylliant Cymraeg. Yn gyffredinol, daeth gwleidyddiaeth yn fwy amlwg, a bu mwy o nofelau dychanol a doniol. Datblygiad pwysig arall fu dechrau cyhoeddi cyfresi o nofelau ar gyfer plant a phobl ifanc. Mae'r stori fer a'r stori fer hir yn dal yn ffurfiau poblogaidd hefyd, ac mae nifer fawr o gasgliadau wedi ymddangos yn ddiweddar, rhai ohonyn nhw gan awduron newydd.

Mae'r twf hwn yn rhyfeddol o gofio nad oes arian mawr o gwbl mewn ysgrifennu llyfrau Cymraeg, gan mor fach yw nifer y darllenwyr. Mae llawer mwy o arian mewn sgriptio ar gyfer y teledu, ac ers dechrau S4C, y sianel Gymraeg, yn 1982, mae wedi bod yn bosibl i ysgrifenwyr fyw ar eu crefft. Yn nyddiau cynnar S4C, roedd llawer o bobl yn poeni y byddai'r sianel yn dwyn amser ac egni ein hawduron, ond mae'n ymddangos heddiw fod apêl y nofel a'r stori fel cyfrwng i ddweud stori yn gryfach nag erioed. Un ffactor sydd wedi cyfrannu at hynny yw'r sylw a'r statws i ryddiaith yn sgil cystadlaethau llenyddol yr Eisteddfod Genedlaethol; mae pob un o'r awduron sy'n cael eu trafod yn y gyfrol hon wedi ennill un o'r prif wobrau, rhai ohonyn nhw fwy nag unwaith.

Fodd bynnag, nid creu rhyw 'Ddosbarth Cyntaf' o'r awduron gorau yw'r bwriad, ond cyflwyno detholiad o waith a fydd yn rhoi syniad o'r math o amrywiaeth sydd ar gael. Byddai'r pum awdur dan sylw yn hawlio lle canolog mewn unrhyw ymdriniaeth â'n rhyddiaith gyfoes, ond byddai'n hawdd ychwanegu pump arall atyn nhw. Byddai angen llyfr dwbl yr hyd a mwy i allu cynnwys yr holl amrywiaeth, ond gobeithio bod yma ddigon i roi blas. Ffuglen yw'r maes, gan ganolbwyntio ar y nofel a'r stori fer fel y ffurfiau sy'n cael eu defnyddio amlaf erbyn hyn.

Mae dau o'r awduron dan sylw, **Aled Islwyn** ac **Alun Jones**, wedi bod yn ysgrifennu ers ugain mlynedd, a'r tri arall, **Angharad Tomos**, **Robin Llywelyn** a **Mihangel Morgan** yn awduron sydd wedi dod i'r amlwg yn fwy diweddar. Maen nhw'n bump llais clir iawn yn rhyddiaith Gymraeg heddiw. Er mor wahanol i'w gilydd ydyn nhw, mae un peth yn gyffredin iddyn nhw i gyd; mae gwaith gorau pob un ohonyn nhw'n herio ac yn anesmwytho yn ogystal â diddanu'r darllenydd. Mae mwy nag un haen i bob llenyddiaeth dda; mae chwilio am yr haenau hynny yn rhan o werthfawrogi llenyddiaeth, yn hwyl, ac yn aml yn codi mwy o gwestiynau nag sy'n cael eu hateb. Yn yr ysbryd hwnnw y mae'r llyfr hwn yn cael ei gyflwyno.

Geirfa   lit. – *literally*   < – *derived from*

tud. 6   y stori lafar – *the oral story*

Pedair Cainc y Mabinogi – *'The Four Branches of the Mabinogi', the name given to the tales. 'Mabinogi' originally meant 'boyhood', then 'a boyhood tale' and eventually 'a tale'.*

tud. 7   godineb – *adultery*

goroesi – *to survive*

y Dadeni – *the Renaissance (or the Revival of Learning), an European movement which started in Italy in the fourteenth century.*

Gweledigaetheu y Bardd Cwsc – *'The Visions of the Sleeping Bard'*

pechaduriaid – *sinners*

tud. 8   yn raddol (< graddol) – *gradually*

ragrith (< rhagrith) – *hypocrisy*

chwareli llechi – *slate-quarries*

dosbarth gweithiol – *working class*

iaith lafar – *the spoken language*

tud. 9   diboblogi cefn gwlad – *the depopulation of rural areas*

yn sgil – *as a result of*

yr Eisteddfod Genedlaethol – *the National Eisteddfod*

ffuglen – *fiction*

tud. 10   anesmwytho – *to unnerve*

diddanu – *to entertain*

Aled Islwyn

Aled Islwyn

1. ALED ISLWYN

Mae'n amhosibl trafod rhyddiaith Gymraeg ddiweddar heb drafod Aled Islwyn. Fel un sydd wedi cyhoeddi saith nofel ac un gyfrol o straeon byrion yn yr ugain mlynedd diwethaf, mae'n un o'r awduron Cymraeg mwyaf ymroddedig, ac mae wedi ennill sawl gwobr. Mae'n ysgrifennu'n wahanol iawn i bawb arall, ac mae ganddo'n sicr bethau i'w dweud.

Mae Aled Islwyn wedi treulio'r ugain mlynedd diwethaf yng Nghaerdydd, gan weithio ar wahanol adegau fel athro, golygydd llyfrau, cyfieithydd a newyddiadurwr cyn dod i'w swydd bresennol, fel Swyddog y Wasg a Chysylltiadau Cyhoeddus gydag S4C. Ond cyn hynny, fel mab i weinidog, bu'n byw mewn sawl rhan o Gymru. Mae ei nofelau a'i straeon hefyd wedi'u lleoli mewn gwahanol rannau o'r wlad, a gall ysgrifennu deialog mewn gwahanol dafodieithoedd. Mae rhai wedi ei alw'n awdur heb wreiddiau, ond mae ef ei hun yn anghytuno. 'Dwi ddim yn ddiwreiddiau o gwbl,' meddai unwaith. 'Mae 'ngwreiddiau i ar hyd ac ar led, dyna'r gwir.' Ychwanegodd fod dylanwad pobl a phrofiadau yr un mor bwysig â dylanwad llefydd wrth sôn am wreiddiau.

Seicoleg unigolion

Er hynny, nid awdur hunangofiannol sy'n seilio ei waith yn dynn ar brofiadau personol yw Aled Islwyn. Llenor y meddwl a'r dychymyg ydyw; er fod hynny'n wir am bob ysgrifennwr creadigol, mae'n fwy gwir am rai, ac mae Aled Islwyn yn sicr yn un o'r rheiny. Ei ddiddordeb mawr yw trafod seicoleg unigolion, treiddio i mewn i fywydau mewnol ei brif gymeriadau. Mae nifer o'r rheiny'n bobl ansicr yn emosiynol – pobl wedi'u brifo gan rywun neu rywbeth, wedi'u hysgwyd gan ryw ddigwyddiad neu ddarganfyddiad, neu'n methu dygymod â'u hamgylchiadau bob dydd. Yn aml iawn, maen nhw'n bobl sydd â rhyw obsesiwn.

Obsesiwn merch gyda llanc iau na hi sy'n cael ei ddarlunio yn y nofel gyntaf, *Lleuwen* (1977), obsesiwn sy'n mynd y tu hwnt i gariad naturiol ac sy'n arwain yn y diwedd at wallgofrwydd. Mae'r ail nofel, *Ceri* (1979), yn portreadu llanc y nofel gyntaf, Colin, yn ceisio ymryddhau o afael Lleuwen, sy'n parhau'n ddylanwad arno er ei bod hi wedi marw. *Sarah Arall* (1982) yw'r drydedd nofel; yr obsesiwn y tro hwn yw obsesiwn merch ifanc gyda bwyd a gyda hanes merch arall a oedd yn gwrthod bwyta. Mae'r tair nofel nesaf hefyd yn ymwneud ag unigolion ond yn y rhain mae yna bynciau mwy penodol yn codi – Cymreictod yr wythdegau yn *Cadw'r Chwedlau'n*

Fyw (1984), diweithdra a gwrywgydiaeth yn *Pedolau Dros y Crud* (1987), Cymreictod, Cristnogaeth a barddoniaeth yn *Os Marw Hon...* (1990). Mae'r nofel ddiweddaraf, *Llosgi Gwern* (1996), sydd wedi'i gosod yn y nawdegau, eto'n trafod Cymreictod a phynciau eraill fel rhyw a llosgach wrth ddarlunio sawl aelod o'r un teulu.

Mae straeon Aled Islwyn yn cyfuno portreadau o gymeriadau a themâu mwy cyffredinol mewn ffordd ddigon tebyg, ac mae teitl ei gasgliad, *Unigolion, Unigeddau* (1994), yn un sy'n dweud llawer am holl waith yr awdur. Mae'r prif bwyslais yn sicr ar bobl, a'r rheiny yn aml iawn yn bobl anghyffredin, er fod eu hamgylchiadau yn aml yn ddigon normal ar yr wyneb. Mae llawer o'r cymeriadau hefyd yn unig, a does dim rhaid iddyn nhw fod ar eu pennau eu hunain i fod yn unig. Fel y dywedodd Meinir Evans am bobl y straeon, 'Maent ar eu pennau eu hunain er eu bod yn byw gyda chymar neu berthynas, neu yng nghwmni cyfeillion neu gydnabod' (*Barn*, Medi 1994). Yn aml iawn, nid yw'r bobl o gwmpas y cymeriad – ffrindiau a theulu – yn ei adnabod o ddifrif, nac yn ei ddeall. Ond mae'r ffordd y mae'r cymeriad yn ymddwyn yn effeithio ar bobl eraill. Mae hynny'n arwain at densiwn a gwrthdaro, ac weithiau, fel yn *Lleuwen* a *Sarah Arall*, at drasiedi.

Felly sôn am unigolion cymhleth ac arbennig y mae Aled Islwyn. Ond nid yw'n anghofio'r angen i greu stori dda o gwmpas y cymeriadau. Nid straeon i wneud i ni ddal ein gwynt yw rhai Aled Islwyn, gyda digwyddiad mawr ym mhob pennod. Mae ei grefft ef yn y ffordd dawel ond sicr y mae'n adeiladu tuag at uchafbwynt dramatig. Oherwydd arwyddion ac awgrymiadau, rydym yn gwybod bod rhywbeth yn mynd i ddigwydd, ond heb fod yn sicr beth yn union. Fel hyn mae tensiwn yn cael ei greu, a ninnau eisiau darllen ymlaen. Mae ôl cynllunio gofalus ar y nofelau a'r straeon.

Bardd o nofelydd sy'n gwrthod sloganau

Mae sawl un wedi dweud bod rhyddiaith Aled Islwyn fel barddoniaeth, oherwydd fod ei waith yn llawn delweddau. Pwrpas y delweddau fel arfer yw cyfleu meddyliau a theimladau. Yn aml iawn, mae yna ddarnau hir, delweddol lle nad yw person yn gwneud dim byd ond meddwl. Nid yw'r darnau hyn yn plesio pawb. Mae ambell un wedi awgrymu bod Aled Islwyn weithiau'n chwarae â geiriau er eu mwyn eu hunain, ond mae eraill wedi ei ganmol am ysgrifennu yn ei ffordd ei hun. Mae'n wir fod darnau o ysgrifennu cyfoethog, cain fel hyn yn arafu'r stori, ond fel arfer maen nhw yno i bwrpas, sef dweud mwy wrthym am gymeriad.

Yn gyffredinol, gwaith sy'n dangos cymhlethdod pobl a phynciau yw gwaith Aled Islwyn. Mae'r awdur yn credu ein bod yn rhy barod i ddefnyddio sloganau a labeli i symleiddio pethau, a gellir dweud bod ei holl waith yn gweiddi yn erbyn y symleiddio hwn. Yn sicr, nid yw'n hawdd rhoi label ar y nofel rymus sydd dan sylw yma, nac ar ei phrif gymeriad.

SARAH ARALL
(Gwasg y Dref Wen, 1982)

Sarah Arall yw un o nofelau gorau Aled Islwyn. Dyma'r nofel a enillodd iddo Wobr Goffa Daniel Owen yn Eisteddfod Genedlaethol Dyffryn Lliw yn 1980, ac roedd y beirniaid yn hapus iawn i'w gwobrwyo. Roedd hi'n eu plesio fel darn o ysgrifennu ac fel portread o ferch ifanc sy'n dioddef o ryw fath o salwch meddwl.

Mae'r nofel wedi ei seilio ar hanes gwir, hanes rhyfedd iawn. Ynghanol y ganrif ddiwethaf, fe fu farw merch fach o'r enw Sarah Jacob yng Ngorllewin Cymru o newyn. Yn ôl ei rhieni roedd hi wedi byw am ddwy flynedd heb fwyd na diod.

Cefndir

Hanes Sarah Jacob
Roedd Sarah Jacob yn byw ar fferm ger Pencader, Sir Gaerfyrddin. Roedd hi'n un o saith o blant i Evan a Hannah Jacob, Llethr-neuadd Uchaf. Roedd hi'n blentyn iach a normal – yn dlws, yn ddeallus, yn darllen llawer ac yn mynd i'r Ysgol Sul. Ond yn Chwefror 1867, pan oedd hi'n naw oed, dechreuodd Sarah gael poenau yn ei stumog a chyfogi gwaed. Gwaethygodd y poenau, a doedd hi ddim yn codi o'i gwely. Bu dau feddyg yn ei gweld, ond doedd ganddyn nhw ddim help i'w gynnig.

Gwrthod bwyta, derbyn ymwelwyr
Ym mis Mai roedd Sarah yn cael ei phen-blwydd yn ddeg oed, ond roedd hi'n dal yn ei gwely. Roedd hi'n bwyta llai a llai, ac o'r degfed o Hydref ymlaen, roedd hi'n gwrthod bwyta o gwbl, yn ôl ei rhieni. Aeth y stori ei bod hi'n byw heb fwyd o gwmpas yr ardal a daeth llawer o'r cymdogion i'w gweld, gan gredu bod gwyrth yn digwydd. Ar ôl i'r ficer lleol ysgrifennu erthygl bapur newydd am y peth, daeth mwy a mwy o bobl i Lethr-neuadd i weld *The Welsh Fasting Girl* fel roedd hi'n cael ei galw. Roedden nhw'n dod, fel pererinion, o bob rhan o Gymru ac o Loegr, i weld

y ferch fach yn gorwedd ar ei gwely mewn ystafell fach oer, dywyll. Ond y peth rhyfedd oedd ei bod hi'n edrych yn iach ac yn hapus, ac wrth ei bodd yn darllen yn uchel o'r llyfr emynau neu'r Beibl. Roedd hi wedi'i gwisgo'n grand mewn siôl sidan, gyda rhubanau yn ei gwallt a chroes fechan ar gadwyn am ei gwddf. Roedd hi'n cael anrhegion gan yr ymwelwyr, gan gynnwys dillad, llyfrau, blodau ac arian.

Y dadlau a'r dirgelwch

Ond yna dechreuodd rhai amau'r stori, gyda meddygon yn ysgrifennu i'r wasg Saesneg i ddweud nad oedd hi'n bosibl i'r ferch fyw heb fwyd. Mae'n rhaid fod rhywun yn twyllo – dyna oedd y neges. Roedd y rhieni, a'r bobl leol a oedd yn credu eu stori, wedi gwylltio, ac am ddangos i'r byd eu bod yn dweud y gwir. Felly dyma drefnu prawf. Roedd saith o bobl i wylio Sarah Jacob am bythefnos, ddydd a nos, i weld a oedd hi'n cael bwyd neu beidio. Ar ddiwedd y pythefnos, dywedodd y gwylwyr eu bod yn fodlon nad oedd hi'n cael bwyd.

Yn ystod y misoedd wedyn, daeth mwy o bobl o bell ac agos i weld y ferch fach 'wyrthiol'. Roedd Sarah yn dal i ymddangos yn iach, er fod ei rhieni yn dweud ei bod hi'n cael ffitiau, yn enwedig os oedd rhywun yn sôn am fwyd. Daeth sawl meddyg i'w gweld, ond doedd y rhieni ddim yn gadael i'r un ohonyn nhw ei harchwilio'n iawn. Roedd y dirgelwch yn parhau.

Ond yna daeth meddyg profiadol o Lundain i weld Sarah ac ysgrifennu llythyr at y *Times* yn honni ei bod yn gorfforol iach. Roedd hynny, meddai, yn dangos ei bod hi'n cael ei bwydo. Yn ei farn ef, salwch meddyliol oedd arni, rhyw fath o hysteria, ac roedd hi'n bosibl ei bod hi'n twyllo ei rhieni ei hun trwy guddio bwyd. Unwaith eto, roedd y rhai a oedd yn credu yn y 'wyrth' wedi gwylltio, a phenderfynwyd trefnu i'r ferch gael ei gwylio am yr ail waith, gyda chaniatâd y rhieni. Y tro cyntaf, pobl leol oedd wedi gwylio, ond y tro hwn, roedd pedair nyrs broffesiynol o Ysbyty Guy's, Llundain, i ddod i'r fferm am bythefnos. Y bwriad oedd dangos unwaith ac am byth fod Sarah Jacob yn byw heb fwyd.

Y nyrsys o Lundain a'r diwedd

Cyrhaeddodd y nyrsys gyda'r trên ar y nawfed o Ragfyr, 1869. Roedden nhw i wylio Sarah ddydd a nos am bythefnos. Doedden nhw ddim i roi bwyd na diod iddi os nad oedd hi'n gofyn amdano. Roedd tîm o feddygon wrth law i gadw golwg ar ei chyflwr.

Dechreuodd y gwylio y noson honno. Ar y dechrau roedd Sarah yn iawn; roedd hi fel petai'n mwynhau'r sylw, ac yn aml yn darllen yn uchel i'r nyrsys. Ond ymhen rhai dyddiau, roedd hi'n amlwg yn gwanhau, er nad oedd hi'n gofyn am fwyd na diod.

Erbyn y pymthegfed o Ragfyr, roedd cyflwr Sarah'n gwaethygu, a chyn bo hir roedd hi'n amlwg ei bod hi'n marw. Roedd y nyrsys a'r doctoriaid yn gweld hynny, ond doedden nhw na neb arall yn gallu perswadio rhieni Sarah i roi bwyd na diod iddi. Ateb y tad bob tro oedd ei fod wedi gwneud llw ddwy flynedd ynghynt i beidio rhoi bwyd na diod i'r ferch os nad oedd hi'n gofyn amdano. Wrth gwrs, erbyn hyn roedd hi'n rhy wan i ofyn am ddim. Ar yr ail ar bymtheg o Ragfyr, bu farw, yn unarddeg oed.

Canlyniad y post-mortem oedd fod Sarah wedi llwgu i farwolaeth. Doedd dim arwydd o unrhyw afiechyd corfforol, ac roedd olion bwyd yn profi bod y ferch wedi bod yn cael bwyd hyd at amser y gwylio. Twyll oedd yr ympryd, felly. Ond pwy oedd yn twyllo, a phwy oedd yn gyfrifol am ei marwolaeth? Y rhieni? Y rhai a oedd wedi trefnu'r gwylio? Y meddygon a oedd yn goruchwylio'r nyrsys?

Yn y diwedd, dim ond y rhieni a anfonwyd i Lys y Goron, Caerfyrddin. Cafodd y ddau eu cyhuddo o ddynladdiad a'u dedfrydu'n euog. Cafodd y tad flwyddyn o garchar a'r fam chwe mis. Ond roedd pobl yn dal i ofyn cwestiynau, ac mae'r dirgelwch yn parhau hyd heddiw.

Hen hanes, nofel gyfoes

Roedd gan Aled Islwyn reswm arbennig dros gymryd diddordeb yn hanes Sarah Jacob – roedd hi'n chwaer i'w hen dad-cu. Ei fwriad i ddechrau oedd ysgrifennu nofel hanesyddol am y peth ond yn y diwedd penderfynodd ysgrifennu nofel gyfoes. Merch sy'n byw heddiw yw'r Sara yn y nofel, ond mae hi'n dysgu am hanes Sarah Jacob pan ddaw hi ar ei gwyliau i Sir Gaerfyrddin. Gan fod Sara ei hun yn gwrthod bwyta, mae'n cymryd diddordeb mawr yn yr hanes. Yn fuan iawn, mae ei diddordeb yn troi'n obsesiwn.

Nid Aled Islwyn yw'r unig awdur i gael ei ysbrydoli gan stori Sarah Jacob. Cafodd dwy ddrama lwyfan eu seilio ar yr hanes a bu drama-ddogfen ar y teledu. Ond yn wahanol i awduron y dramâu hyn, nid ceisio ail-greu hanes a wnaeth Aled Islwyn ond ei ddefnyddio fel cefndir i nofel gyfoes. Fel y dywed yn ei gyflwyniad (sy'n rhoi crynodeb o'r hanes uchod), dychmygol yw'r digwyddiadau ar wahân i'r ffeithiau am Sarah Jacob sy'n dod i'r amlwg wrth i Sara holi ynghylch ei hanes.

Anorecsia Nerfosa

Clefyd sy'n effeithio ar ferched ifanc yw anorecsia nerfosa, fel arfer pan fyddan nhw yn eu harddegau neu eu hugeiniau. Mae'r ferch yn gwrthod bwyta, ac mewn rhai achosion yn ei llwgu ei hun i farwolaeth. Problem seicolegol sydd wrth wraidd y clefyd – mae'r ferch sy'n dioddef yn aml iawn yn ansicr ohoni ei hun ac o'i gwerth fel person.

Mae rhai wedi dweud bod Sarah Jacob yn dioddef o'r clefyd hwn. Fel y gwelsom, dywedodd un o'r meddygon fod Sarah yn dioddef o fath o hysteria a oedd yn gyffredin mewn merched ifanc. Rai blynyddoedd yn ôl, cyhoeddwyd llyfr yn America yn trafod hanes cynnar y salwch ac yn sôn am Sarah Jacob.

Beth am Sara yn y nofel? Er nad yw'r clefyd yn cael ei enwi o gwbl, mae bron pawb sydd wedi trafod y llyfr yn cymryd yn ganiataol fod Sara'n anorecsig. Mae'n hawdd gweld pam – mae Sara'n gwrthod bwyta ac mae hi am fod yn denau. Ond fel y cawn weld, mae ganddi resymau arbennig iawn am hynny. Dywedir fod y pwysau cymdeithasol sydd ar ferched i fod yn denau wedi arwain at fwy o achosion o anorecsia yng ngwledydd y gorllewin, ond nid dyma sydd ar feddwl Sara. Mae hi'n poeni am bethau gwahanol iawn.

Yn ddiddorol, doedd yr awdur ei hun ddim wedi meddwl am anorecsia, nac unrhyw glefyd penodol arall, wrth ysgrifennu'r nofel – darlunio unigolyn cymhleth, meddai, oedd ei fwriad. Fodd bynnag, nid yw'n poeni bod pobl wedi cymryd bod Sara'n anorecsig, cyn belled â bod neb yn mynd at y llyfr yn disgwyl astudiaeth glinigol o'r clefyd. A dyna'r peth pwysig i'w gofio – darn o lenyddiaeth sydd yma, wedi'r cwbl.

Plot a Saernïaeth

Merch un ar bymtheg oed o Gaerdydd yw Sara, wedi dod i'r wlad gyda'i mam i dreulio'r haf ac i geisio gwella ar ôl salwch. Maen nhw'n aros yn yr ardal, ac yn y bwthyn, lle cafodd tad Sara ei fagu. Dyma ardal Sarah Jacob hefyd, ac yn ystod ei harhosiad ym Mhantglas, mae Sara'n bwyta llai a llai ac yn ymgolli cymaint yn hanes Sarah Jacob nes colli cysylltiad â realiti. Mae'r cyfan yn arwain at ddigwyddiadau trasig ar ddiwedd y nofel. Dyna'r stori yn fras; cawn olwg yn awr ar adeiladwaith y nofel.

Caiff yr holl stori ei dweud o safbwynt Sara ei hun, ac mae pob pennod yn cyflwyno digwyddiad neu gymeriad neu le pwysig. Mae'r nofel yn symud yn weddol gyflym; o edrych ar gyfeiriadau at amser, gellir gweld bod y cyfan yn digwydd o fewn cyfnod byr – tua deng niwrnod. Mae digwyddiadau'r chwe phennod gyntaf a dechrau pennod saith yn llenwi tua chwe diwrnod ac yna mae bwlch o rai dyddiau cyn digwyddiadau gweddill y nofel. Mae'n ddiwedd haf.

Penodau 1 – 4

Mae dau beth pwysig yn digwydd i Sara yn nhudalennau cyntaf y nofel, sef cyfarfod Geraint, llanc sy'n byw yn lleol, a chlywed am y tro cyntaf, trwyddo ef, am Sarah Jacob. Mae'n cymryd diddordeb ar unwaith yn Geraint ei hun ac yn hanes y ferch a fu farw o ddiffyg bwyd, a dyna sy'n llywio ei symudiadau yn ystod y penodau hyn. Mae'n ymweld ddwywaith â Chopa-bach, cartref Geraint a Wendy, ei bartner, ac yn ceisio cael mwy o wybodaeth am Sarah Jacob trwy ddarllen llyfr, holi Mrs Ifans, gwraig y siop, a mynd i'r fynwent i chwilio am y bedd.

Penodau 5 – 6

Mae rhywun wedi torri i mewn i'r siop yn ystod y nos ac wedi creu llanast mawr yno, a'r awgrym cryf yw mai Sara a wnaeth. Cyrhaedda Frank, tad Sara, ac mae Sara'n ymddwyn yn od yn ystod ymweliad â Chaerfyrddin, gan holi ei thad am ei berthynas ef a'i mam ac am Sarah Jacob. Mae Sara'n ymweld eto â Chopa-bach, ac mae'r olygfa lle mae Geraint yn ceisio caru gyda hi yn ffurfio uchafbwynt i'r rhan hon o'r nofel. Daw ei rhieni pryderus i fynd â hi adref.

Penodau 7 – 9

Mae pennod saith yn agor gyda Sara'n meddwl am y profiad rhywiol gyda Geraint, yn ddiweddarach yr un noson. Yna, ar ôl rhai dyddiau, mae Sara'n mynd i Gopa-bach, ac yn deall bod ei mam wedi bod yno yr un diwrnod. Mae awgrym Sara fod ei mam yn anffyddlon i'w gŵr yn creu awyrgylch ansicr yn y tŷ, a phan ddaw Frank yno unwaith eto o Gaerdydd, mae'r tensiwn yn tyfu, yn enwedig wrth i Sara wrthod bwyta o gwbl. Y noson honno mae Sara'n dianc i Gopa-bach, gan gyhoeddi ei bod hi am aros yno. Yn y bore mae ymwelydd arall yn cyrraedd – Royston, cyn-bartner Wendy.

Penodau 8 – 10

Mae'r penodau olaf yn llawn drama. Daw rhieni Sara ddwywaith i geisio ei pherswadio i fynd adref, ond mae'n gwrthod, a'r ail waith mae Royston yn eu dychryn i ffwrdd trwy ymosod ar Frank. Y noson honno mae Royston yn treisio Sara. Yn y bennod olaf, mae Sara'n dial arno trwy ei ladd gyda bwyell wrth iddo gysgu. Daw'r nofel i ben gydag ymateb y lleill, a Sara ei hun, i'r weithred hon.

Cymeriadau

Sara

Fel y dywedodd John Rowlands, nid yw darllen *Sarah Arall* yn brofiad braf, oherwydd fod y nofel yn ymdrin ag 'obsesiwn hyll ac afiach'. Mae cyrraedd y diwedd, meddai, 'fel deffro o ryw hunllef neu dwymyn annifyr'. Ond wrth gwrs, fel mae ef a sawl un arall wedi dweud, mae hynny'n profi bod y nofelydd wedi llwyddo i fynd â ni i mewn i feddyliau'r ferch ryfedd hon.

Cawn wybod fod Sara wedi treulio cyfnodau mewn ysbyty ac wedi colli llawer o ysgol. Mae'n gwrthod bwyta o hyd (er ei bod yn aml yn bwyta'n breifat) a thua diwedd y nofel, mae'n amlwg yn falch ei bod hi'n colli pwysau. Mae hefyd yn cael sawl pwl rhyfedd, er enghraifft y tro cyntaf iddi gyfarfod Geraint ac yn ddiweddarach ar ei ffordd i Gopa-bach.

Dyna'r symtomau corfforol, ond mae'r ffordd y mae Sara'n ymddwyn hefyd yn dweud wrthym fod rhywbeth o'i le arni. Mae fel petai ganddi bersonoliaeth hollt. Mae'n gwylltio'n hawdd ac yn ymateb yn eithafol a hollol ddirybudd mewn rhai sefyllfaoedd. Un enghraifft ddramatig yw'r olygfa yn y caffi gyda Geraint, pan ddealla Sara nad oes ganddo bres i dalu. Un funud mae'n eistedd wrth y bwrdd, y funud nesaf mae ar ei thraed yn sgrechian a strancio. Ond ar ddiwedd y bennod, ar y ffordd adref yn y car, mae'n hapus ac, am unwaith, eisiau bwyd. Golygfa arall debyg yw'r olygfa siopa yng Nghaerfyrddin, lle mae Sara'n gollwng y bocs bwyd ynghanol y stryd – digwyddiad sy'n fwy na damwain. Unwaith eto, ar ôl y cynnwrf, mae'n dawel a bodlon ac yn mwynhau pryd yn y caffi. Mae'n amlwg fod tynnu sylw ati ei hun, a gwneud i bawb boeni, yn rhoi pleser rhyfedd iddi.

Awgrym arall o'r bersonoliaeth hollt yw'r ffordd y mae Sara'n gallu bod yn garedig ac yn greulon tuag at bobl eraill. Y tro cyntaf iddi gyfarfod Geraint, yn hollol annisgwyl, mae'n ei daro ar draws ei wyneb, heb iddo wneud dim iddi. Yn ddiweddarach, yn y fynwent, mae'n crafu ei wyneb â'i hewinedd. Ond ar adegau eraill, mae'n dyner tuag ato. Mae'r un peth yn wir am ei pherthynas gyda'i mam. Ambell dro, mae'n garedig tuag ati, ond dro arall mae'n gwneud ei gorau i'w brifo, er enghraifft yn yr olygfa lle mae'n awgrymu bod ei mam yn anffyddlon i'w thad.

Er mor blentynnaidd yw Sara mewn rhai ffyrdd, mewn ffyrdd eraill mae'n ymddangos yn llawer hŷn na'i hoedran, fel y dywed ei mam. Nid yw ei mam na'i thad, Geraint na neb arall yn ei deall, ond cawn ni fel darllenwyr fynd i mewn i'w meddyliau dwfn a chymhleth a gweld beth sydd y tu ôl i'w hymddygiad. Cawn wylio ei hobsesiwn gyda Sarah Jacob yn tyfu – o'r tu mewn, fel petai.

Mae hancs Sarah Jacob yn dal dychymyg Sara o'r dechrau. Mae Sara'n credu yn y wyrth, hynny yw, bod Sarah Jacob wedi byw heb fwyd, ac mae amheuaeth pobl eraill yn ei gwylltio. Mae'n credu hefyd fod enaid y ferch yn dal o gwmpas, yn 'nythu rhwng y coed a'r cloddiau'. Wrth gwrs, mae cyfatebiaeth amlwg rhwng y ddwy ferch. Er fod Sara'n gwrthod bwyta *cyn* clywed am Sarah Jacob, mae'r hanes fel petai'n ei gwneud yn fwy penderfynol. Daw i gredu bod ei hysbryd ei hun, fel ysbryd Sarah, yn un arbennig ac o tua chanol y nofel ymlaen, mae'n amlwg fod Sara yn paratoi i farw er mwyn i'w hysbryd hithau gael torri'n rhydd o garchar y cnawd. Dyna pam y mae'n gwrthod y demtasiwn i fwyta. Mae hefyd yn gwrthod y demtasiwn i gael rhyw gyda Geraint, er ei bod yn ei ffansïo. Y noson honno, wrth feddwl am y profiad, mae'n falch ei bod wedi gwrthod:

Dynion! Doedd dim angen dynion arni. Nid eu cyffyrddiad. Na'u cynhaliaeth. Roedd hi'n wag o holl weithredoedd dynion. (90)

Mae Sara am ei chadw ei hun yn wag – yn wag o fwyd ac o had dynion – er mwyn bod yn bur ac yn gryf, unwaith eto fel Sarah Jacob. Wrth orwedd yn y gwely, yn teimlo ei bol gwag, mae'n dychmygu ei bod eisoes mewn arch.

Rydym felly wedi ein paratoi ar gyfer dihangfa Sara, yn ddiweddarach y noson honno, i Gopa-bach. Ar ôl cael dilyn ei meddyliau, gwyddom ei bod wedi dod yma i farw. 'Fydd Sarah byth yn codi eto,' meddai wrth Geraint, Wendy a Royston, fel petai hi a Sarah Jacob yn un erbyn hyn.

Ond mae un digwyddiad yn drysu ei chynlluniau – cael ei threisio gan Royston. Ar ôl hynny mae'n teimlo'n frwnt a chyffredin, a dyna pam ei bod hi'n dial mewn modd mor eithafol. Gan fod Royston wedi 'lladd' rhan ohoni hi, mae hithau am ei ladd ef. Ar ôl iddi ei ladd, mae ei meddyliau yn awgrymu bod ei hysbryd yn gwahanu oddi wrth ei chnawd; cawn edrych ar hynny'n fanylach wrth drafod y themâu.

Cymeriadau eraill

Oherwydd fod y nofel hon yn cael ei hadrodd yn gyfan gwbl o safbwynt Sara, dim ond trwy ei llygaid hi y gwelwn y cymeriadau eraill. Ni chawn fynd i mewn i'w meddyliau nhw, felly nid ydym yn dod i'w hadnabod yn dda. Nid creu cymeriadau crwn, cyflawn yw bwriad yr awdur gyda'r rhain, gan mai Sara sy'n bwysig; ac eto maen nhw'n bwysig fel rhan o stori Sara. Ynghanol ei meddyliau rhyfedd, nhw yw ei chysylltiad â bywyd normal, bob dydd.

Y fam

Gwraig sy'n gorfod actio llawer yw'r fam, a hynny er mwyn Sara. Er nad yw hi'n mwynhau treulio'r haf yn y wlad gyda'i merch (gweler ei sgyrsiau gyda Frank, tad Sara) mae hi'n gorfod cymryd arni ei bod yn mwynhau. Ond gwelwn ei masg yn llithro yn yr olygfa lle mae'n ffraeo â'i gŵr, tua diwedd y nofel, ac mae'n amlwg fod salwch Sara yn straen nid yn unig ar ei mam ond ar briodas ei rhieni. Mae yma sawl awgrym fod y fam ddeniadol wedi bod yn anffyddlon i'w gŵr, ac mae Sara'n credu ei bod â'i llygad ar Geraint. Mae'r ddwy yn amau ei gilydd trwy'r amser. Oherwydd salwch Sara, nid ydyn nhw wedi cael cyfle i ddatblygu perthynas naturiol, fel yr awgryma'r frawddeg hon, sy'n disgrifio un o'r adegau prin lle mae'r ddwy yn teimlo'n agos at ei gilydd:

> Ac yn sydyn roedden nhw'n fam a merch unwaith eto, yn lle crair a gofalwr mewn amgueddfa, neu glaf a gweinyddes mewn ysbyty. (61)

Y tad
Cawn yr argraff fod Sara'n caru ei thad yn fwy na'i mam, ac eto nid yw ei thad yn ei deall. O leiaf mae'r fam yn wynebu problem Sara; tuedd Frank yw cau ei lygaid ar y sefyllfa. 'Mae popeth yn iawn, Sara!' meddai yn yr olygfa lle mae Sara'n gollwng y bocs, a dyna ei agwedd yn gyffredinol. Cawn wybod fod ganddo broblem yfed – arwydd arall efallai o'r straen o fagu Sara. Erbyn diwedd y nofel mae'r ddau riant wedi colli pob rheolaeth dros Sara.

Geraint
Mab i gynhyrchydd radio o Gaerdydd yw Geraint, ond mae wedi gwrthryfela yn erbyn ei gefndir dosbarth canol trwy fynd i fyw ar y dôl yng nghefn gwlad. Mae'n amlwg yn fachgen deallus, ac mae ei dynerwch yn apelio at Sara. Efallai mai ef yw'r cymeriad sy'n dod agosaf at ddeall Sara, ond erbyn diwedd y nofel mae Sara'n ei weld fel cymeriad gwan sy'n ildio'n hawdd i Royston.

Wendy
Merch wedi'i chaledu gan fywyd yw Wendy, sy'n byw gyda Geraint. Bu'n cyd-fyw cyn hynny â Royston, fe gafodd erthyliad i gael gwared â baban ac mae ganddi broblem gyffuriau. I Sara, oherwydd yr erthyliad, mae Wendy'n symbol o ddrygioni. Ar ôl i Royston ei threisio, mae Sara'n ffieiddio ati ei hun trwy ei chymharu ei hun â Wendy:

> Roedd hi hanner ffordd at fod yn Wendy arall. (121)

Mrs Ifans
Gwraig siop nodweddiadol yw Mrs Ifans, yn ymddangos yn ddigon clên er

ei bod yn fusneslyd. Ond mae hithau hefyd yn troi'n symbol i Sara –
symbol o fywyd materol. Dyna sy'n egluro ymosodiad Sara ar y siop. Fel
Wendy, mae Mrs Ifans yn gwrthod credu bod Sarah Jacob yn byw heb fwyd,
ac mae hynny'n rheswm arall pam fod Sara'n cymryd yn erbyn y ddwy.

Royston

Drop-out, fel Wendy a Geraint, yw Royston, a dyn sydd ar gyffuriau. Mae'n
codi ofn ar Wendy a Geraint, ac mae Wendy'n ei adnabod yn ddigon da i
wybod pam ei fod am i Sara aros yng Nghopa-bach yn hytrach na mynd
adref – mae am fanteisio arni'n rhywiol. Mae'n hollol wahanol i Geraint;
mae Sara'n ei ddisgrifio fel 'un gwyllt a garw', ac fel 'anghenfil'. Yn sicr,
mae'n anifeilaidd yn y ffordd y mae'n ymddwyn yn ôl greddf yn hytrach na
rheswm. Mae'r ffordd y mae'n taro Wendy heb unrhyw rybudd yn
awgrymu ei fod wedi arfer ei tharo. Wrth dreisio Sara, mae'n cadarnhau ei
hamheuon mai rhywbeth brwnt, drwg yw rhyw ac mae hynny'n arwain at
drychineb y diwedd.

Themâu

Oherwydd mai stori Sara yw'r nofel, mae'r themâu i gyd yn codi o'i
meddyliau a'i syniadau hi, ac o'i hobsesiwn hi â Sarah Jacob. Dyma rai o'r
themâu pwysicaf:

- Amau/credu
- Bywyd materol/bywyd ysbrydol
- Bod yn euog/bod yn ddiniwed
- Bod yn gyffredin/bod yn arbennig

Mae'r themâu hyn i gyd yn perthyn yn agos i'w gilydd a phob un yn
cyflwyno gwrthgyferbyniad rhwng dau syniad. Mae'r syniad cyntaf bob tro
yn cynrychioli'r bywyd y mae Sara am ei wrthod, a'r ail yn cynrychioli ei
delfryd o fywyd gwell. Rydym wedi cyfeirio at y rhan fwyaf o'r themâu
wrth drafod y cymeriadau, ond efallai fod y sylwadau canlynol yn help i
ddeall sut maen nhw'n cael eu plethu trwy'i gilydd.

Mae'r thema *amau/credu* yn ymwneud ag ymateb pobl i stori Sara
Jacob. Sara, wrth gwrs, yw'r un sy'n credu yn y wyrth, a phobl fel Wendy
a Mrs Ifans yw'r rhai sy'n amau. Mae Sara'n eu cymharu nhw gyda'r bobl
a oedd yn gwrthod credu yn ystod oes Sarah Jacob ei hun. Mae Sara fel
petai'n rhoi ystyr grefyddol i hyn i gyd; mae'n cydio'n dynn yn yr addysg
Ysgol Sul a gafodd, a chawn wybod mai Ysgrythur oedd ei hoff bwnc yn

yr ysgol, er mai digon niwlog yw ei gwybodaeth. (Mae'n ddiddorol cofio bod gan Sarah Jacob ddiddordeb arbennig mewn materion crefyddol; yn ôl yr hanes, roedd hi'n darllen y Beibl ac emynau yn aml yn ystod ei salwch).

Yn gysylltiedig â'r thema gyntaf, mae'r gwahaniaeth rhwng **y bywyd materol a'r bywyd ysbrydol** yn cael ei bwysleisio mewn sawl ffordd. Yng ngolwg Sara, mae'r oes hon yn oes faterol sy'n rhwystro pobl rhag credu mewn gwyrthiau fel un Sarah Jacob. Mae Mrs Ifans yn un symbol o'r bywyd materol, fel y nodwyd; yn ngolwg Sarah, nid yw hon yn poeni am ddim byd ond arian. Mae ceir a dodrefn modern yn symbolau eraill. Sylwer fod Sara'n hapus yn cysgu ynghanol hen ddodrefn ei mam-gu – yr unig lofft yn y tŷ nad yw wedi ei moderneiddio. Digon tebyg yw apêl Copa-bach iddi – mae'n hoffi'r bwthyn bach syml a'r ffaith nad yw Geraint a Wendy yn poeni llawer am arian. Nid yw'n syndod mai i'r lle hwn y mae'n dod i geisio cyrraedd at y bywyd ysbrydol, gwell.

Daw'r thema **euogrwydd/diniweidrwydd** yn amlwg iawn tua diwedd y nofel. Ar ôl dal ei mam yn dweud celwydd – yn gwadu iddi fod yng Nghopa-bach gyda Geraint – mae Sara'n mwynhau gwneud iddi deimlo'n euog, ac yn mwynhau'r teimlad ei bod hi ei hun yn ddiniwed:

> Roedd bod yn ddieuog yn rhoi'r fath hyder iddi. Merch dda.
> Merch ddieuog. (98-9)

Mae'n darganfod yn ddiweddarach fod Geraint yn euog o ddweud celwydd hefyd, neu o guddio'r gwir o leiaf; roedd wedi gadael i Sara chwilio am fedd Sarah Jacob er ei fod yn gwybod bod y garreg wedi cael ei symud oddi yno. Effaith hyn ar Sara yw ei gwneud hi'n fwy ymwybodol o'r gwahaniaeth rhwng cyflwr y bobl o'i chwmpas a'i chyflwr hi ei hun. Wrth ddisgwyl ei marwolaeth yng Nghopa-bach, mae hi'n sôn am y gorffwys 'dieuog'. Ar y llaw arall, ar ôl iddi farw, mae'n credu y bydd y tri – Geraint, Wendy a Royston – yn 'euog yng ngŵydd y byd'. Hynny yw, bydd yn rhaid iddyn nhw gymryd rhyw fath o gyfrifoldeb am ei marwolaeth, fel y bu'n rhaid i rieni Sarah Jacob wynebu achos llys.

Mae gwrthgyferbyniad pellach, ym meddwl Sara, rhwng **bod yn arbennig a bod yn gyffredin.** Yng ngolwg Sara, mae pawb o'i chwmpas yn gyffredin, am eu bod yn gaeth i drefn bywyd. Hi ei hun yw'r un arbennig; mae'n credu bod gwrthod bwyd a rhyw yn rhoi cryfder mewnol iddi. Ar ôl mynd i Gopa-bach i orffwys a disgwyl y diwedd, mae'n ei gweld ei hun 'yn hardd ac ar wahân'. Ond wrth gwrs, mae diwedd y nofel yn newid hyn i gyd. Wedi cael ei threisio gan Royston mae Sara'n gorfod ailfeddwl am bopeth. Wrth golli ei gwyryfdod, mae hi wedi colli ei harbenigrwydd:

> Doedd hi'n ddim byd ond merch arall. I fwyta. A chysgu. A charu. (123)

Mac'r syniad yma yn ormod i Sara, ac wrth iddi ddial ar Royston, rydym yn ôl unwaith eto gyda thema euogrwydd a diniweidrwydd. Wrth ddal y fwyell uwch ei ben, dyma beth sy'n mynd drwy ei meddwl:

> Doedd hi ddim yn ddiniwed. Ond roedd hi'n ddieuog. Sara oedd hi. Roedd Sara wedi bod yn sâl. Roedd pawb yn gwybod hynny. (124)

Yn y gorffennol, mae hi wedi cael maddeuant am bopeth (fel yr helynt yn y caffi ac ar y stryd yng Nghaerfyrddin) oherwydd ei salwch, ac yma mae'n ei thwyllo ei hun am funud ei bod hi'n dal yn ddigon arbennig i beidio cael ei chosbi. Ond yna, ar ôl cyflawni'r weithred erchyll, a'r gwaed ymhobman, mae'n sylweddoli y bydd hi yn awr, yn llygaid pobl eraill, yn llofrudd:

> Roedd hi'n euog! Wrth gwrs ei bod hi'n euog. Doedd neb yn credu. Pawb yn amau. Doedd hi'n ddim ond meidrolyn arall. Yn euog a gwallus. Wedi ei chymryd a'i chynnal. Yn caru ac yn lladd. Newydd garu. Newydd ladd.
>
> Doedd hi ddim yn arbennig. Dim ond Sarah arall oedd hi, wedi darfod yng ngwaed y gwely acw. A'r Sara newydd wedi codi wedi'r gorffwys. Yn fyw. Gyffredin. Gaeth. (125)

Tair Sara/Sarah? – dehongli diwedd y nofel

Mae diwedd y nofel yn sôn, mewn ffordd ddigon cymhleth, am dair Sara/Sarah wahanol, gan wneud inni ystyried y teitl mewn ffyrdd gwahanol.

Trwy gydol y nofel, fe fu yna Sara a Sarah Jacob, 'chwaer ysbrydol' Sara, fel y dywedodd Jane Edwards. Ar adegau cawn y teimlad fod y ddwy wedi mynd yn un, hynny yw fod Sara wedi uniaethu cymaint â Sarah Jacob nes ei gweld ei hun fel 'Sarah arall'. Ar yr adegau hyn caiff yr enw ei sillafu gyda'r 'h', er enghraifft wrth i Sara ymateb i awgrym ei mam mai hi dorrodd i mewn i'r siop:

> "Symo fi'n gwbod dim!" poerodd yn ddagreuol. "Nid fi sydd ar fai! Nid fi wna'th!" A gafaelodd yn dynn am war ei mam. "Nid Sarah wna'th! Nid Sarah wna'th!" (73)

Ond rydym hefyd wedi cael awgrym fod Sara yn ei gweld ei hun fel dau berson, neu fel dau hanner un person. Ar ôl i Sara gyrraedd Copa-bach am y tro olaf, mae Wendy yn disgwyl helynt ac eisiau ei gyrru hi adref. Dywed wrth Geraint fod 'rhywbeth o'i le ar y ferch 'ma,' ac mae hynny'n atgoffa Sara o'r ffordd y mae pawb wedi ei thrin hi yn ystod ei salwch:

> Pawb yn siarad amdani fel petai hi ddim yno. Ac ar yr un pryd yn cydnabod ei bod hi'n arbennig. Fel petai dwy ohoni. Un yn clywed tra bo'r llall ddim. Un yn atebol tra bo'r llall ddim. Un yn bwyta tra bo'r llall ddim. Un yn fyw. A'r llall ddim ... (102)

Mae'n ymddangos felly fod ymateb pobl eraill iddi wedi cyfrannu, yn anfwriadol, at broblemau seicolegol Sara, trwy roi'r syniad o ddwy Sara yn ei phen. Ar ddiwedd y nofel mae'r syniad yma o ddwy Sara yn cael ei ddatblygu wrth ddisgrifio cnawd ac ysbryd yn gwahanu.

Y 'Sara newydd' yw Sara'r llofrudd, a honno sy'n rhedeg allan i freichiau ei mam. Dyma'r Sara gorfforol, yn wynebu carchar, efallai, a thriniaeth seiciatrig:

> Fe wnâi hi lyncu popeth. Eu bwydydd. Eu celwyddau. Eu tabledi. Eu tosturi.
> Un Sara oedd honno. Ac roedd croeso iddynt ei chymryd. (127)

Ond mae yna 'Sara arall', sef yr un wreiddiol, ddieuog, Sara fel roedd hi cyn colli ei diniweidrwydd. Ysbryd neu enaid yw'r Sara hon, ac mae'n dianc i'r coed:

> ... roedd y Sara arall yno yn y glesni. Yn diflannu i'r difancoll lle nad oedd ysbryd yn euog ... Sara oedd hi eto. Nid y Sarah arall honno. Sara. Ar ei newydd wedd. Heb ddyn. Heb ddim. Ond enaid musgrell ei haflonyddwch yn hofran yng nglas y dydd.
> A diflannodd yr ysbryd hwnnw yn ei ddiniweidrwydd. Gan adael dim ar ôl ond corff dienaid, yn barod i ddeiagnosis dynion. (127)

Sylwer fod yma sôn eto am Sarah Jacob, ond yr awgrym yw fod Sara o'r diwedd wedi cael gwared â chysgod y ferch hanesyddol: 'Sara oedd hi eto. Nid y Sarah arall honno'. Mae Sara bellach yn fwy na dim ond 'Sarah arall', gan ei bod wedi dod o hyd i hanfod ei phersonoliaeth hi ei hun, hynny yw ei henaid, ac wedi ei ryddhau. Mae hyn yn rhoi golwg wahanol inni ar deitl y nofel.

O safbwynt Sara, buddugoliaeth sydd yma – buddugoliaeth i'r ysbryd dros y cnawd. Ond fel y mae Dafydd Johnston wedi nodi, o edrych ar y peth o'r tu allan, 'gwallgofrwydd' sydd yma, gyda'r 'ferch ifanc gyflawn' yn cael ei cholli.

Iaith ac Arddull

Mae'r nofel hon yn defnyddio iaith gyfoethog, lenyddol, iaith sy'n cynnig mwy nag un ystyr yn aml, ac iaith addas i fynegi meddyliau cymhleth Sara. Mae iaith y ddeialog, wrth gwrs, yn llawer symlach; fyddai neb yn siarad fel y mae Sara'n meddwl. Ond mae darllen y naratif fel darllen rhyw fath o *ddyddiadur teimladau*; mae Sara'n ferch anghyffredin o sensitif, ac mae pob emosiwn, pob argraff, pob syniad, yn cael eu cofnodi ar y pryd, fel maen nhw'n dod i'w phen. Yn aml cawn frawddegau byr, brawddegau un gair neu frawddegau heb ferf, ac mae hynny'n help i roi'r argraff o bethau'n gwibio trwy'r meddwl. Dyma enghraifft o ddiwedd y nofel, lle mae Sara'n dychmygu'r heddlu'n dod i'w nôl hi, ac yn cymysgu yn ei meddwl rhyngddyn nhw a'r doctoriaid a'r seiciatryddion sydd mor gyfarwydd iddi:

> Yr heddlu ddeuai nesaf, meddyliodd. Yn eu cotiau gwynion. Na, nid gwynion, gleision. Glas. Roedd hi'n drysu. Roedden nhw'n dod i'w cheisio. Ei harchwilio. Ei chymryd ymaith. Ei llenwi hi â phob math o rwtsh ...
> Aeth ofn fel ias wen trwyddi. Deuent oll yn eu cotiau gwynion. Gwyn. Gwyn. Eirias wyn. Eu nodwyddau'n pigo trosti. Eu tabledi'n corddi o'i mewn. I lawr y lôn goch. I lawr. I mewn. Ynddi. Trwyddi. (111)

Dyma ddarn sy'n cyfleu ofn a syrffed Sara yr un pryd.

Dywedwyd ar y dechrau fod Aled Islwyn yn fardd o nofelydd, ac mae *Sarah Arall* yn enghraifft wych o hynny. Mae'n farddonol yn y ffordd y mae **geiriau a delweddau** yn cael eu defnyddio. Mae yma lawer o ailadrodd geiriau a delweddau – yr un rhai neu rai tebyg – ac mae hynny'n rhoi undod i'r nofel fel undod cerdd. Ond ei brif bwrpas yw darlunio'r ffordd arbennig y mae Sara'n gweld y byd o'i chwmpas.

Efallai mai'r ddau air pwysicaf yn y nofel yw 'gwag' a 'llawn'; maen nhw'n cael eu defnyddio o hyd i gyfleu'r gwrthgyferbyniad y mae Sara yn ei weld rhwng y bywyd da a'r bywyd drwg. Fel rydym wedi gweld, mae hi am ei chadw ei hun yn wag nid yn unig o fwyd ond o had dynion. Mae cysylltiad agos yn ei meddwl rhwng bwyta a chael rhyw, gan fod y ddwy weithred yn arwain at ei llenwi. Yn un lle mae Geraint yn disgrifio merched beichiog fel 'merched sy'n llawn ar ôl dynion', ac ar ôl i Royston ei threisio, mae Sara hefyd yn 'llawn'; nid ei bod yn feichiog (wyddom ni ddim), ond bod ei chroth yn llawn o 'hadau' ei threisiwr.

Mae Sara'n gweld delweddau o lawnder o'i chwmpas ymhobman ac yn eu casáu. Mae pobl yn llawn, fel y bobl dew sy'n mynd ar ei nerfau yn y caffi, gan gynnwys y plismon sy'n cael ei alw i mewn. Oherwydd ei bod yn haf, mae natur yn llawn, yn llawn blodau a lliw a thyfiant. Mae'r ffrwythlondeb hwn yn troi'n ffiaidd yng ngolwg Sara, er enghraifft yn y fynwent. Yno, wrth syllu ar y planhigion iach o'i chwmpas, mae hi'n gweld 'bwyd yn tyfu', bwyd i 'lenwi silffoedd Mrs Ifans a'i thebyg' ac yna i lenwi pobl. Mae hyn yn gwneud iddi deimlo'n ddiflas, ac mae'n gwrthgyferbynnu rhwng y llawnder hwn a chyflwr Sarah Jacob, a oedd yn 'wag', ac oherwydd hynny yn 'gryf' yng ngolwg Sara.

Mae'r olygfa yn y fynwent hefyd yn dangos yn glir y cysylltiad rhwng bwyd a rhyw ym meddwl Sara:

> ... roedd dynion o genhedlaeth i genhedlaeth yn mynnu dod â'u dwylo i drin y tir a chodi bwyd. I drin y cnawd a chodi plant. (54)

Gallwn weld yma fod Sara'n meddwl am gynhyrchu bwyd a chynhyrchu plant fel dwy agwedd ar un broses ffiaidd, fel y mae Dafydd Johnston wedi dangos mewn erthygl dda iawn yn trafod delweddau'r nofel.

Agwedd arall ar ddelweddaeth y nofel yw'r penillion ar ddechrau pob pennod. Aled Islwyn ei hun sydd wedi ysgrifennu'r rhain ond maen nhw'n debyg iawn i'r 'Hen Benillion' syml, gwerinol sy'n rhan o draddodiad barddoniaeth Gymraeg. Fe allen nhw'n hawdd fod wedi cael eu hysgrifennu yn amser Sarah Jacob. Yn wir, yn ôl nodyn yn y cyflwyniad, mae'n ymddangos mai dyna fwriad yr awdur – rhoi'r argraff mai Sarah Jacob sydd wedi eu hysgrifennu. Fel y nofel ei hun, maen nhw'n llawn delweddau o fywyd cefn gwlad a llawer o'r rheiny'n ymwneud â bwyd – gwenith, gwartheg yn pori a chorddi menyn. Mae'r un ar ddechrau Pennod 4 yn cynnal y ddelwedd o lawnder wrth sôn am bantri a llaethdy llawn, ac am hanner mochyn yn disgwyl i gael ei fwyta. Yn ogystal â helpu i greu naws y cyfnod pan oedd Sarah Jacob yn byw, mae'r penillion hyn felly yn creu cysylltiad rhwng Sarah ddoe a Sara heddiw, gyda'i hobsesiwn am fwyd. Tua'r diwedd (Penodau 7 – 10) mae'r penillion yn troi'n fwy crefyddol, gan sôn am yr eglwys, y person, Duw a'r nefoedd. Mae hyn eto'n cyd-fynd â stori Sara, gan ei bod, yn y rhan hon o'r nofel, yn paratoi at ei marwolaeth ac at fywyd newydd, ysbrydol. Nofel yw hon lle mae delweddau tebyg yn gweu trwy'i gilydd i greu un darlun cyfan.

Mae *Sarah Arall* hefyd yn nofel lawn **eironi ac ystyr ddwbl**. Yr eironi mwyaf yw fod Sara wedi'i hanfon i gefn gwlad i wella; er ei bod hi'n credu ei bod yn gwella'n ysbrydol, nid yw'n gwella yn yr ystyr arferol. Gwelir o hyd y gwahaniaeth hwn rhwng yr hyn sydd ym meddwl Sara a'r hyn sydd ym meddwl y bobl o'i chwmpas, fel yn y darn hwn o sgwrs rhwng Sara a'i mam:

> "Ydych chi ddim yn teimlo'n hapus trosof fi, Mam?" gofynnodd. "Rwy'n teimlo gymaint yn well."
>
> "Wel, rwy'n falch o wybod hynny." (61)

Ar ddiwedd y nofel, mae Sara yn paratoi i farw, ond yn y diwedd, wrth gwrs, mae hi'n achosi marwolaeth person arall. Ac ar ôl meddwl cymaint am euogrwydd pawb o'i chwmpas, hi ei hun sy'n euog. Ceir eironi pellach wrth iddi redeg allan i freichiau ei mam a'i chusanu; nid yw ei mam yn gwybod eto fod ei merch yn llofrudd, ac maen nhw'n agosach at ei gilydd nag erioed o'r blaen. Ond gwyddom ni fel darllenwyr ei bod yn rhy hwyr bellach i unrhyw fath o berthynas naturiol rhwng y ddwy.

Darn o *Sarah Arall*

"Ydych chi wedi clywed am Sarah Jacob?" holodd Sara Mrs Ifans.

"Sarah Jacob! Honno oedd yn byw yn Llethr-Neuadd! O! Mae pawb rownd ffordd hyn yn gwybod yr hanes 'na. Wrth gwrs 'oedd e 'mhell cyn 'yn amser i. Ond o'dd 'y mam-gu i'n cofio'r amser yn iawn. O'dd hi yn yr ysgol gyda'i brodyr a'i chwiorydd hi. Fi'n cofio hi'n dweud wrtho i bod plant yr ardal wedi 'neud ffortiwn un haf yn arwen pobl o stesion Pencader lan i Lethr-Neuadd. Byddigions yn dod o bob man i'w gweld hi, chi'n gweld. *'Take us to the Fasting Girl'*, o'n nhw'n arfer dweud wrth Mam-gu. W! Fe 'nath hi ffortiwn fach, sdim dou!"

"Oedden nhw'n talu?"

"Talu! Ô'n gwlei!" ebe Mrs Ifans yn bendant. "Wrth gwrs, y ferch ei hunan elwodd fwya! Arian a thlyse a phob math o bresante. Ond fe dynnon nhw flewyn o drwyn ei mam a'i thad hi'n ddigon clou ar ôl iddi farw."

"Pam?" Doedd Sara ddim yn deall.

"W! O'dd sgandal mowr, bach. Ac a'th y rhieni ar eu penne i'r carchar. Twyll o'dd y cyfan."

"Na," bloeddiodd Sara. "Nid twyll oedd e. Nid twyll."

"Bydde lot yn cytuno â chi. Erbyn heddi ma'r rhan fwya o bobl yn credu mai'r ferch o'dd yn bwydo ei hunan. Nid y rhieni o'dd wrthi o gwbl."

Trawodd Sara ei dwrn ar gownter caled y siop. Tawodd Mrs Ifans.

"Doedd neb yn ei bwydo hi. Ydych chi'n clywed?"

"Wel, o'dd rhaid bod rhywun, bach! Alle hi ddim byw yr holl fiso'dd na heb fwyta dim. Gwyrth fydde hynny."

"Dyna oedd cred pobl bryd hynny. Fe gân' nhw gredu hynny eto hefyd."

Doedd gan Mrs Ifans yr un ateb i hynny. Roedd hi wedi bod yn trin selsig cyn hynny. Gollyngodd nhw o'i dwylo i'r badell ar y dafol a phendronodd am eiliad.

"Does neb yn credu pethe fel 'na nawr," ychwanegodd yn ddryslyd.

"Na. Efallai eich bod chi'n iawn," ebe Sara gyda rhyw swildod a oedd yn ddymunol ac ar yr un pryd yn codi braw ar Mrs Ifans. "Pwys o *sausages* mae Mam eisie, os gwelwch yn dda."

"Merch bert, cofiwch. Yn ôl Mam-gu," ebe gwraig y siop wedyn.

"Oedd hi?" ebe Sara'n freuddwydiol. Roedd hi'n meddwl am y Sarah arall honno, yn gorwedd acw, yn y fynwent draw. A phawb erbyn hyn yn argyhoeddedig mai hi oedd yn euog o dwyll. Yn euog o fwyta! Doedd dim synnwyr yn y peth! Wedi ei chondemnio ar ôl ei marw. A hithau mor ddiniwed yn ystod ei hoes. Heb neb i'w chyhuddo na'i chystwyo.

Ond doedd Sarah ddim yn clywed mwyach. Yno yn y pridd. Trwm. Tawel. Gwag.

"Pam fuodd hi farw, Mrs Ifans?" gofynnodd Sara ac ôl ei chonsyrn yn ei llais.

"Peidiwch chi â becso am hen hanes fel 'na nawr, 'y merch i. Ddaw dim lles ohono fe."

"Na. Pam?" mynnodd Sara, gan brotestio at dôn nawddoglyd y wraig. "Pam fu hi fyw cyhyd, ac yna marw?"

"Nyrsys dda'th i'w gwylio hi. Aros gyda hi drwy'r dydd a'r nos. Ac fe glafychodd hi o fla'n eu llyged nhw. A'th hi'n dene fel sgerbwd yn ôl y sôn. A gwaelu. A marw."

Roedd clywed hynny yn loes wirioneddol i Sara. Gafaelodd yn dynn ym mhren y cownter. Sut gallen nhw fod mor greulon? Eistedd! Ac edrych! A disgwyl iddi farw!

"Na," griddfannodd yn araf yn ngrym y boen a deimlai. Mor greulon oedd edrych a disgwyl diwedd. Doedd dim rhyfedd ei bod hi'n methu â byw.

Roedden nhw wedi cadw llygaid arni hithau o bryd i'w gilydd. Yn yr ysgol. Yn yr ysbyty. Gartref. Peth erchyll oedd peidio â chael bod ar eich pen eich hun.

"Y nhw laddodd hi," cyhuddodd yn chwyrn.

"Ro'dd pobl wedi dechre ame ..."

Amau! Cyhuddo! Dedfrydu! Ei lladd hi. Am nad oedden nhw'n gallu deall. Na chredu. Y twpsod!

"Rhywbeth arall, Sara?"

Troes y ferch ei llygaid yn ôl at y wraig yr ochr arall i'r cownter. Ei chlustlysau coman yn hongian fel cynffonnau ŵyn bach plastig.

"Na, dim diolch," atebodd yn ei llais crand. "Fe ddaw Mam i setlo gyda chi toc."

Rhoes y ferch y selsig a'r cig moch yn ei bag ysgwydd yn ddiamynedd.

"Fe ddaw hi cyn diwedd yr wythnos, daw hi? Wi'n hoffi ca'l popeth yn streit erbyn diwedd yr wythnos."

Arian oedd popeth i honno, wedyn, meddyliodd Sara. Fe âi hi fel ei hen fam-gu i orsaf Pencader i gyfarwyddo byddigions 'tai hi'n cael hanner cyfle! Roedd hi mor gul a gwledig. Ariangar. Bas. Yn ddigon twp i gredu nad oedd modd i neb fyw heb fwyd o'i hen siop wirion. Doedd hon ddim yn credu am eiliad fod modd i Sarah fyw heb fwyd. Wel! Fe gâi hi weld!

"Da bo chi, Mrs Ifans," ebe Sara, gyda hyder un llawer yn hŷn na'i hoed.

Aeth allan i'r stryd, lle roedd awel iachus prynhawn o Orffennaf cynnar yn chwythu trwy'r pentref.

Rhaid bod Sarah Jacob hithau wedi teimlo'r awel honno'n hofran at ei chnawd ifanc, yn y dyddiau cyn ei gorffwys. Cyn iddi cael ei galw i bedlera ei ffydd am ychydig sylltau a sylw.

Bellach, draw acw yr oedd. Heb gnawd. Heb ffydd. Yn y pridd. Yn y fynwent. Wrth yr eglwys. Lle doedd neb yn dod i'w gweld. A neb yn dod â rhoddion. Am nad oedd neb yn credu.

Tasgau

1. Dywedwch, yn eich geiriau eich hun, beth yw agwedd Mrs Ifans, perchennog y siop, at hanes Sarah Jacob.
2. Disgrifiwch ymateb Sara, a dweud sut a pham y mae'n wahanol i agwedd Mrs Ifans.
3. Sut mae iaith ac arddull y naratif yn cyfleu teimladau Sara?
4. Dychmygwch eich bod yn y siop gyda Sara a Mrs Ifans, yn gwrando ar eu sgwrs. Gyda pha un y byddech chi'n cytuno? Dywedwch pam. Os na fyddech chi'n cytuno gyda'r un o'r ddwy, dywedwch beth fyddai eich barn chi. Gallwch gyfeirio'n ôl at y crynodeb o hanes Sarah Jacob.

Darllen Pellach

Cyfrolau eraill Aled Islwyn
Lleuwen (Llyfrau'r Faner, 1977)
Ceri (Gwasg y Dref Wen, 1979)
Cadw'r Chwedlau'n Fyw (Gomer, 1984)
Pedolau Dros y Crud (Gomer, 1986)
Os Marw Hon ... (Gomer, 1990)
Unigolion, Unigeddau (Gomer, 1994)
Llosgi Gwern (Gomer, 1996)

Rhai ymdriniaethau â *Sarah Arall*
Cyfansoddiadau a Beirniadaethau Eisteddfod Genedlaethol Dyffryn Lliw 1980, Gol. W. Rhys Nicholas, tt. 95, 97-8, 101-2
Branwen Jarvis, *Llais Llyfrau*, Gwanwyn 1983, tt. 11-12
Dafydd Johnston, *Barn*, Hydref 1987, tt. 406-8

Deunydd cefndir am Sarah Jacob/Anorecsia Nerfosa
Tegwyn Jones, 'Sarah a Rhai Merched Eraill', *Llafar Gwlad*, Haf 1992, t. 8
D. G. Lloyd Hughes, 'Hanes Hynod Sarah Jacob: Y Ferch a Lwgwyd i Farwolaeth', *Y Casglwr*, Gaeaf 1993, tt. 1-7
T. Llew Jones, 'Yr Eneth Ga'dd ei Gwrthod', *Gwaed ar eu Dwylo* (Gomer, 1966), tt. 86-128

John Cule, *Wreath on the Crown* (Gomer, 1967)
Gw. hefyd drama Gwenlyn Parry, *Sàl* (Gomer, 1982)

Cyfweliadau gydag Aled Islwyn
Dienw, 'Aled Islwyn: Enillydd Gwobr Goffa Daniel Owen', *Llais Llyfrau*,
   Gaeaf 1980, tt. 14-15
Menna Elfyn, 'Chwilio Pac Aled Islwyn', *Llais Llyfrau*, Haf 1990, tt. 4-6
Menna Baines, 'Chwalu Sloganau: Holi Aled Islwyn', *Barn*,
   Gorffennaf/Awst 1995, tt. 66-9

Geirfa

tud. 12   Cysylltiadau Cyhoeddus –
   Public Relations

   ar hyd ac ar led – *here and there*

   yn dynn – *closely*

   ymryddhau – *to free oneself*

tud. 13   diweithdra – *unemployment*

   Unigolion, Unigeddau –
   'Individuals, Lonely Places'

   bardd o nofelydd – *a poet of a novelist*

   er eu mwyn eu hunain – *for their own sakes*

tud. 15   wrth law – *at hand*

tud. 17   pwysau cymdeithasol – *social pressure*

   cyn belled â – *as long as*

   astudiaeth glinigol – *clinical study*

   ymgolli cymaint – *to become so absorbed*

   adeiladwaith – *structure*

tud. 20   dwymyn (< twymyn) – *fever*

   rhywbeth o'i le – *something wrong*

   bersonoliaeth (< personoliaeth) hollt – *split personality*

tud. 20   sgrechian a strancio – *kicking and screaming*

tud. 21   dal dychymyg – *to capture the imagination*

   cynhaliaeth – *sustenance*

   had – *semen*

tud. 22   cymryd arni – *to pretend*

   amau – *to mistrust*

   crair – *exhibit*

   gofalwr – *caretaker*

   gweinyddes – *nurse*

   cau ei lygaid ar y sefyllfa – *to turn a blind eye to the situation*

   [y] ddau riant – *both parents*

   cynhyrchydd radio – *radio producer*

   yng nghefn gwlad – *in the countryside*

   gael (< cael) gwared â – *to get rid of*

tud. 23   fusneslyd (< busneslyd) – *nosy*

   ymddwyn yn ôl greddf yn hytrach na rheswm – *to act according to instinct rather than reason*

   cael eu plethu trwy'i gilydd – *to be interwoven*

tud. 23 ymwneud ag – *concerned with*

tud. 24 niwlog – *vague*

yng ngŵydd y byd – *in the eyes of the world*

cryfder mewnol – *inner strength*

gwyryfdod – *virginity*

tud. 25 dim ond meidrolyn arall – *just another mortal*

gwallus – *flawed*

Wedi ei chymryd a'i chynnal. – *Having been taken and sustained.*

Newydd garu. Newydd ladd. – *Having just made love. Having just killed.*

mynd yn un – *to become one*

Symo fi'n – *I don't*

war (< gwar) – *the back of the neck*

atebol – *answerable*

tud. 26 Yn diflannu i'r difancoll – *Vanishing into the void*

Ar ei newydd wedd – *In her new guise*

Ond enaid musgrell ei haflonyddwch yn hofran yng nglas y dydd – *Apart from the fragile soul of her restlessness hovering at the break of day.*

tud. 27 i'w cheisio – *to fetch her*

rwtsh – *rubbish*

Eirias wyn – *Glowingly white*

o'i mewn – *inside her*

I lawr y lôn goch – *Down the throat (lit. the red lane)*

tud. 28 person – *parson*

cyd-fynd â – *to correspond with*

tud. 28 gweu trwy'i gilydd – *to interweave*

tud. 29 Byddigions (< boneddigion) – *Toffs*

sdim dou (< does dim dau) – *there's no doubt*

Ô'n gwlei! (< Oedden, goelia i) – *Of course they did!*

fe dynnon nhw flewyn o drwyn ei mam a'i thad hi'n ddigon clou – *they soon put her parents in their place (lit. they pulled a hair out of her parents' noses)*

wrthi – *at it (i.e. feeding Sarah)*

Trawodd (< taro)

Tawodd Mrs Ifans. – *Mrs Ifans fell silent.*

badell (< padell) – *bowl*

dafol (< tafol) – *scales*

phendronodd (< pendroni) – *she pondered*

argyhoeddedig – *convinced*

tud. 30 yng ngrym y boen – *in the intensity of the pain*

dim rhyfedd – *no wonder*

o bryd i'w gilydd – *from time to time*

twpsod (< twpsyn) – *idiots*

coman – *common, vulgar*

cynffonnau ŵyn bach – *catkins*

streit – *straight*

'tai (< petai)

bedlera (< pedlera) – *fig. to peddle, to trade*

tud. 31 sylltau (< swllt) – *shillings*

Alun Jones

Alun Jones

2. ALUN JONES

'Os yw'n awdur ifanc, mae'n "ddarganfyddiad"'– dyna ddywedodd y beirniaid am enillydd Gwobr Goffa Daniel Owen yn Eisteddfod Genedlaethol Caerdydd, 1978. Gan fod pawb yn cystadlu dan ffugenw yng nghystadlaethau llenyddol yr Eisteddfod, doedd gan y ddau feirniad ddim syniad pwy oedd wedi ysgrifennu'r nofel, ond roedden nhw'n gwbl sicr mai dyma'r nofel orau. Ac roedden nhw'n iawn fod yr awdur yn newydd ac yn ifanc. Deuddeg ar ddeg ar hugain oed oedd Alun Jones ar y pryd, a hwn oedd y tro cyntaf iddo ysgrifennu unrhyw beth o ddifrif, er ei fod, fel llyfrwerthwr, ynghanol llenyddiaeth bob dydd.

Mae bron i ugain mlynedd ers hynny, ac Alun Jones erbyn hyn yn awdur pum nofel. Mae'n perthyn i'r un genhedlaeth ag Aled Islwyn, ond mae ei waith yn wahanol iawn. Fel y gwelsom, unigolion, a'r rheiny'n aml yn unigolion anghyffredin ac yn bobl ar wahân, yw diddordeb mawr Aled Islwyn; ar y cyfan, mae cymeriadau Alun Jones yn ymwneud mwy â'r gymdeithas o'u cwmpas, ac felly cawn bortread llawnach o gymdeithas. Efallai fod magwraeth wahanol yn un rheswm am hynny; yn hytrach na symud o le i le fel Aled Islwyn, mae Alun Jones wedi byw yn yr un rhan o Gymru, sef Llŷn neu'r cyffiniau, ar hyd ei oes, ar wahân i gyfnod byr yng Nghaerdydd pan oedd yn fyfyriwr. Er nad yw ei nofelau wedi'u lleoli'n rhy bendant, mae'r pentref gwledig, gogleddol yn y rhan fwyaf ohonyn nhw. Mae'r awdur yn dal i gadw siop lyfrau ym Mhwllheli – gwaith sy'n mynd ag ef i ganol pobl leol bob dydd. 'Y peth gorau ynglŷn â siop yw bod rhywun mewn cysylltiad di-dor â phobl go iawn,' meddai unwaith. Mae Alun Jones hefyd yn wahanol i Aled Islwyn yn ei ffordd o ddweud stori; ar y cyfan, mae'n ysgrifennu'n fwy uniongyrchol a llai delweddol.

Dawn y storïwr

Roedd beirniaid Eisteddfod Caerdydd yn canmol dawn dweud stori'r enillydd, a phan gyhoeddwyd *Ac Yna Clywodd Sŵn y Môr* (1979), roedd yr adolygwyr yn cytuno. Y ffasiwn mewn nofelau Cymraeg yn ystod y chwedegau a'r saithdegau oedd portreadu pobl mewn rhyw fath o argyfwng meddyliol, ac er fod hynny'n gallu cael ei wneud yn dda, roedd hefyd yn gallu arwain at nofelau diflas lle nad oedd dim byd yn digwydd. Ond roedd Alun Jones wedi ysgrifennu nofel hollol wahanol, nofel a oedd yn cynnwys stori dditectif, a nofel lle roedd rhywbeth yn digwydd ar bron bob tudalen. Roedd croeso mawr iddi.

Roedd ei nofel nesaf, *Pan Ddaw'r Machlud* (1981), hefyd yn llawn tensiwn a chyffro – hanes criw o wrthryfelwyr ifanc yn cynnal gwarchae mewn tŷ, gan gymryd y teulu sy'n byw yno yn wystlon. Yna daeth *Oed Rhyw Addewid* (1983), nofel dawelach sy'n dangos cymdeithas yn chwalu trwy bortreadu dwy genhedlaeth o'r un teulu. Mae'r ddwy nofel ddiweddaraf yn mynd i gyfeiriadau newydd eto, gyda *Plentyn y Bwtias* (1989) yn ymwneud â'r goruwchnaturiol a *Simdde yn y Gwyll* (1992) yn trafod llosgach.

Mae datblygiad pendant i'w weld yn y nofelau ar ôl *Ac Yna Clywodd Sŵn y Môr*, gyda mwy o ddyfnder i'r cymeriadau a themâu cryfach. Mae'r rhan fwyaf o feirniaid wedi canmol yr awdur am symud ymlaen, er fod ambell un wedi ei gyhuddo'n ddiweddar o fynd yn rhy gymhleth, yn rhy gynnil a gofyn gormod gan y darllenydd. Ond mae un peth wedi aros yr un fath o'r dechrau, sef y pwyslais ar ddweud stori. Dyna'r peth pwysicaf i Alun Jones fel ysgrifennwr. 'I mi, 'dydi nofel heb stori'n ddim byd ond casgliad o frawddegau hunandybus', meddai unwaith. Mae'n gas ganddo hefyd ysgrifennu lle mae'r ymdrech i ddweud pethau mawr am fywyd yn rhy amlwg. Iddo ef, gwaith y nofelydd yw difyrru'r darllenydd a chreu byd y gallwn gredu ynddo.

Mae *Ac Yna Clywodd Sŵn y Môr*, y nofel dan sylw yn y bennod hon, yn sicr yn creu byd credadwy sy'n llyncu'r darllenydd o'r funud gyntaf. Er nad yw mor uchelgeisiol â'r nofelau a ddaeth wedyn, mae'n llwyddo'n gampus o fewn ei therfynau ei hun. Fel un o'r nofelau Cymraeg sydd wedi gwerthu orau yn y cyfnod diweddar, mae hi hefyd yn profi bod modd ysgrifennu pethau sy'n boblogaidd ac yn llenyddol yr un pryd.

AC YNA CLYWODD SŴN Y MÔR
(Gomer, 1979)

Mae'r nofel wedi'i lleoli mewn pentref glan môr o'r enw Hirfaen yng Ngogledd Cymru. Mae yma ddwy stori'n cyd-redeg. Stori antur yw un, stori lleidr gemau o'r enw Richard Jones yn dod i bentref Hirfaen i geisio cael gafael ar y diemwntiau yr oedd wedi'u claddu mewn cae bum mlynedd ynghynt. Ond mae'r heddlu'n dod i wybod amdano ac yn ceisio ei ddal. Stori garu yw'r llall. Ar ddechrau'r nofel, mae Meredydd, dyn ifanc sy'n byw yn Hirfaen, newydd gael ei ddyfarnu'n ddieuog o dreisio merch leol. Yna mae'n cyfarfod Einir, ac mae ei berthynas â hi'n ei helpu i roi'r profiad o gael ei gam-drin gan yr heddlu a swyddogion carchar y tu cefn iddo.

Cefndir

Oherwydd fod yma ddwy stori hollol wahanol, roedd beirniaid Eisteddfod Caerdydd yn cael *Ac Yna Clywodd Sŵn y Môr* yn nofel anodd ei disgrifio. 'Mae ynddi stori dditectif, ond nid nofel dditectif yw hi,' meddai Islwyn Ffowc Elis, a dywedodd John Rowlands rywbeth tebyg. Mae'n werth aros gyda'r pwynt yma, gan fod *Ac Yna Clywodd Sŵn y Môr* yn cyfuno sawl math o nofel.

Yn sicr, mae ymdrech yr heddlu i ddal Richard Jones yn rhyw fath o stori dditectif. Eto, mae'n wahanol i'r stori ditectif fel rydym wedi arfer meddwl amdani. Mae gan y stori dditectif draddodiadol nifer o nodweddion cyffredinol, ac mae'n ddiddorol cymharu'r rhain gyda'r hyn sy'n digwydd yn nofel Alun Jones:

NODWEDD	STORI DDITECTIF DRADDODIADOL	AC YNA CLYWODD SŴN Y MÔR
Datrys problem	Mae'n gosod pôs i'r darllenydd: pwy sydd wedi cyflawni'r drosedd a sut? Bydd y ditectif fel arfer yn datrys y broblem cyn y darllenydd, er y gall y darllenydd craff gael yr ateb ynghylch.	Y cwestiwn mawr yw beth mae Richard Jones wedi ei wneud â'r gemau, ond mae'r darllenydd yn gwybod yr ateb cyn yr heddlu.
Y ditectif	Y ditectif fel arfer yw prif gymeriad ac arwr y stori.	Y ffigwr sy'n gwneud y gwaith ditectif yw'r Arolygydd, ond nid yw'n ddigon canolog i gael ei alw'n brif gymeriad nac yn arwr.
Trefn	Mae'r stori'n dechrau gyda'r drosedd ac yn gweithio'n ôl wrth i'r ditectif geisio canfod beth ddigwyddodd.	Mae'r drosedd, h.y. y lladrad, wedi bod bum mlynedd yn ôl. Digwyddiadau'r presennol sy'n bwysig.
Datgeliad	Y datgeliad yw'r uchafbwynt.	Mae yna ddatgeliad o safbwynt yr heddlu wrth iddyn nhw ddarganfod cuddfan diemwntiau Richard Jones, ond ymdrech y lleidr i ddianc yw'r uchafbwynt.
Da a drwg	Mae'r cymeriadau yn ddu a gwyn, h.y. mae'r ditectif a'r rhai sy'n ei helpu yn dda a'r troseddwr yn ddrwg.	Mae yna raniad da/drwg, ond nid yw'r sefyllfa yn hollol ddu a gwyn.

Oherwydd y gwahaniaethau yma, mae'n amhosibl galw *Ac Yna Clywodd Swn y Môr* yn nofel dditectif. Ond mae hefyd yn amhosibl anwybyddu'r ffaith mai stori dditectif, stori Richard Jones, sy'n cynnal y plot. Beth yw'r nofel o ran ffurf felly? Yn ei lyfr *Bloody Murder* (Faber, 1972), sy'n ymdrin â storïau ditectif, mae Julian Symons yn dweud fel y datblygodd stori dditectif bur y dyddiau cynnar (gan gynnwys straeon fel y rhai am Sherlock Holmes) yn wahanol fathau o straeon erbyn heddiw. Yn y dosbarth hwn, o dan y teitl cyffredinol *crime fiction*, mae'n cynnwys nofelau a straeon ias a chyffro, rhai am fyd yr heddlu, rhai antur a rhai am ysbïo – hynny yw, pob math o nofelau a straeon yn ymwneud â throseddau.

Yn Gymraeg, fe gafwyd straeon ditectif mor gynnar â dechrau'r ganrif. E. Morgan Humphreys, gyda'i straeon, oedd yr arloeswr, ac erbyn y chwedegau a'r saithdegau roedd awduron fel J. Ellis Williams a T. Llew Jones yn ysgrifennu nofelau ditectif a nofelau antur i ateb y galw am ddeunydd darllen poblogaidd yn yr iaith. Mae ambell awdur fel J. Selwyn Lloyd yn dal i ysgrifennu nofelau antur heddiw, ond gan ganolbwyntio'n bennaf ar nofelau i blant a phobl ifanc. Ychydig o awduron sy'n ysgrifennu'r math yma o ddeunydd ar gyfer oedolion; yn sicr does dim digon o ddeunydd inni allu sôn am draddodiad byw o lenyddiaeth yn ymwneud â throseddau. Mae hyn yn rhan o'r broblem wrth geisio lleoli nofel Alun Jones. Ond mae rhai o sylwadau Julian Symons am nodweddion cyffredinol ysgrifennu cyfoes am fyd tor-cyfraith yn ddefnyddiol. Er enghraifft:

- Tra mae'r stori dditectif draddodiadol yn canolbwyntio ar ddatrys problem, mae nofelau heddiw yn aml yn rhoi mwy o bwyslais ar **seicoleg** y troseddwr nag ar y drosedd ei hun. Fel y nodwyd, rhywbeth yn perthyn i'r gorffennol yw trosedd Richard Jones yn *Ac Yna Clywodd Swn y Môr*, ond rydym yn cael golwg ar y ffordd y mae ei feddwl yn gweithio.
- Mae'r nofelau cyfoes hefyd yn aml iawn yn dangos **llygredd** oddi mewn i'r heddlu neu'r gwasanaethau cudd; yn sicr, mae yna feirniadaeth ar yr heddlu yn nofel Alun Jones.

Mewn rhai ffyrdd, felly, mae'r nofel yn gyson â phatrwm cyffredinol storïau modern am fyd tor-cyfraith. Cyn gadael y drafodaeth ar ffurf, mae'n werth sylwi ar un arall o bwyntiau Julian Symons. Er ei fod yn cydnabod mai deunydd darllen ysgafn, poblogaidd yw storïau tor-cyfraith modern ar y cyfan, mae'n dadlau bod eu hysgrifennu yn grefft, ac yn y dwylo gorau, yn gelfyddyd. Yn sicr mae *Ac Yna Clywodd Swn y Môr*, beth bynnag rydym am ei galw, yn un o'r ychydig nofelau Cymraeg sy'n pontio rhwng y poblogaidd a'r llenyddol. Mae yma stori gyffrous i blesio'r darllenydd ffwrdd-â-hi, mewn cadair freichiau, ar drên neu awyren, ac mae yma hefyd grefft i fodloni'r rhai sy'n hoffi dadansoddi'r pleser o ddarllen. Cawn olwg yn awr ar elfennau'r grefft honno.

Plot a Saernïaeth

Mae saernïaeth yn rhan o grefft pob nofelydd, ac mewn stori antur, mae'n hollbwysig oherwydd yr angen i gynnal y tensiwn a'r cyffro. Wrth grynhoi stori *Ac Yna Clywodd Sŵn y Môr*, mae'n werth rhoi sylw arbennig, felly, i'r ffordd mae'r plot yn cael ei ddatblygu. O bob un o'r nofelau sy'n cael eu trafod yn y llyfr hwn, dyma'r un fwyaf crefftus ei saernïaeth.

Mae'r nofel wedi'i chynllunio fel ei bod yn cynnal diddordeb y darllenydd o'r dechrau i'r diwedd. Mae ei hadeiladwaith yn dibynnu ar drefn ac amseru – pryd a sut mae gwybodaeth yn cael ei chyflwyno. Mae hefyd yn dibynnu ar ddweud y stori o safbwynt sawl cymeriad yn hytrach nag un, a chawn weld ambell ddigwyddiad o ddau safbwynt gwahanol. Er mai gyda Meredydd a Richard Jones yr ydym y rhan fwyaf o'r amser, cawn rannu meddyliau sawl cymeriad arall hefyd. Mae'r penodau wedi'u rhannu'n adrannau i ddangos hyn, er fod yna newid safbwynt o fewn ambell adran.

Y prolog
Mae'r nofel yn agor mewn ffordd sy'n cydio yn y dychymyg yn syth. Mae yma ddyn yn **claddu blwch** mewn cae ar noson dywyll, wlyb. Ni chawn wybod beth sydd yn y blwch, ond mae gofal y dyn wrth dyllu, mesur a chladdu yn dangos ei fod yn rhywbeth pwysig. Mae diwedd y darn, wrth i'r dyn yrru i ffwrdd yn ei gar, yn awgrymu bod damwain ar fin digwydd rhwng car y dyn a char arall sy'n dod tuag ato.

Penodau 1 – 2
Ar ôl y prolog byr yma, mae'r nofel yn ailagor, fel petai. Mae gair cyntaf y bennod gyntaf – 'Dieuog' – yn dangos ein bod mewn **llys**. Y dyn yn y doc yw **Meredydd Parri**, ac mae'r bennod hon, a'r ail, yn cyflwyno ei stori ef. Cawn wybod ei fod wedi cael ei gyhuddo o dreisio merch leol, Bethan, a'i fod wedi treulio'r tri mis diwethaf yng Nghanolfan Gadw Risley yn aros ei brawf. Bu'r cyfnod hwn yn hunllef iddo am ei fod wedi cael ei gam-drin ac yn awr, er ei fod wedi cael ei ddyfarnu'n ddieuog, mae mwy o broblemau'n ei wynebu. Mae'n gorfod wynebu ymateb pobl i'r dyfarniad, ac mae

hynny'n dechrau ar unwaith. Yn y llys, mae Bethan a'i mam yn ymddwyn yn hysterig a Huw, brawd Bethan, yn ymddwyn yn fygythiol – golygfa sy'n ein paratoi at fwy o helynt oddi wrth Huw.

Ar ôl gadael y llys, cawn gyfarfod rhai o drigolion eraill pentref Hirfaen. Yn gyntaf, cawn ein cyflwyno i *Now Tan Ceris* a hynny ar ei noson 'mynd am beint'. Mae Now yn allweddol i'r plot, gan mai ef a werthodd y tir ar gyfer adeiladu stad o dai newydd yn y pentref; gwybodaeth sy'n dod yn bwysig yn nes ymlaen. Yn ogystal â chyflwyno Now, mae'r olygfa yn y dafarn yn gwneud dau beth. Yn gyntaf, mae'n mynd â ni'n syth i ganol y gymdeithas ac yn dechrau creu darlun o fywyd bob dydd y pentref, fel cefndir i ddigwyddiadau mwy rhyfedd sydd i ddod. Yn ail, mae sgwrs y dafarn yn fodd i ddangos yr ymateb lleol i'r newyddion fod Meredydd yn rhydd, yn enwedig ymateb Now, sy'n falch. Dangos ymateb gwahanol, a'n cyflwyno i gymeriad allweddol arall, yw pwrpas yr olygfa nesaf. Mae *Gladys Drofa Ganol* yn byw'r drws nesaf i Meredydd, ac yn ei gasáu. Caiff sioc fawr o glywed ar y newyddion ei fod yn rhydd.

Ar ddechrau'r ail bennod, rydym yn ôl gyda Meredydd ac mae sioc yn ei wynebu yntau, wrth weld bod yr heddlu wedi chwilio trwy'r tŷ ac wedi gadael llanast mawr ar eu holau. Yna, awn i fferm *Gwastad Hir*, cartref Bethan a'i theulu lle mae yna densiwn amlwg rhwng Bethan a'i mam a'i brawd ar un llaw, a'i thad, Robin, ar y llaw arall. Mae Robin yn amau Bethan o ddweud celwydd am y treisio, ac mae ymddygiad y tri arall ar ôl y dyfarniad yn ei wylltio. Cawn wybod hefyd fod Gladys yn perthyn i deulu Gwastad Hir. Rydym yn parhau gyda'r ymateb i'r dyfarniad yn y ddwy olygfa nesaf, wrth i Meredydd fynd i siopa yn y pentref ac yna allan i'r Wylan Wen, am y tro cyntaf ers iddo gael ei ryddhau. Ond, ar ôl i Meredydd gael croeso gan bron bawb, mae Huw Gwastad Hir yn ymosod arno ar y ffordd adref. Dyma *uchafbwynt* y ddwy bennod gyntaf, a chyfle hefyd i gyflwyno *is-stori*, sef stori ymdrech y plismon lleol, Gareth Hughes, i roi Huw Gwastad Hir yn ei le.

Pennod 3

Dyma'r bennod sy'n cyflwyno stori Richard Jones, y lleidr, er nad yw'n cael ei enwi.

Mae *Harri Evans*, dyn tua deugain oed, yn marw o ganser ac mae wedi galw Arolygydd o Heddlu Gogledd Cymru i'r ysbyty er mwyn *dweud hanes lladrad* a oedd wedi digwydd mewn siop emau yn Wrecsam bum mlynedd ynghynt. Roedd y ddau leidr wedi dianc gyda gemau gwerth pum mil ar hugain o bunnau. Yn awr, mae Harri Evans yn cyfaddef mai ef oedd un o'r ddau, ac mai ef a saethodd y siopwr. Ond dywed fod y gemau yn dal gan y dyn arall, a bod hwnnw wedi diflannu heb eu rhannu. Ac yntau yn awr ar ei wely angau, mae Harri Evans yn teimlo'n chwerw tuag at y dyn a oedd wedi'i dwyllo. Dyna pam mae wedi galw'r heddlu. Nid yw'n gwybod enw iawn ei gyd-leidr, ond mae ganddo un darn pwysig o wybodaeth, sef fod y dyn wedi galw yn yr ysbyty yn y dyddiau diwethaf. Mae hefyd yn gwybod bod y dyn ychydig yn gloff ar ôl rhyw ddamwain. Wrth gwrs, bydd y darllenydd yn awr yn sylweddoli mai dyma'r dyn a oedd yn claddu'r gemau yn y prolog, y dyn oedd ar fin cael damwain. Felly mae'r darllenydd gam ar y blaen o'r dechrau.

Cyn diwedd y bennod, mae'r dyn cloff wedi galw eto yn yr ysbyty, a'r heddlu (wedi'u gwisgo fel staff) wedi cael lluniau ohono a rhif ei gar. Mae'r ymdrech i'w ddal wedi dechrau.

Pennod 4

Yn y bennod yma, mae'r ddwy stori'n cael eu plethu trwy'i gilydd. Mae dau ddatblygiad pwysig, a'r ddau yn digwydd yng ngwesty'r Erddig ym Mhenerddig, y dref agosaf at bentref Hirfaen. Yn gyntaf, mae Meredydd yn cyfarfod *Einir*, sy'n gweithio y tu ôl i'r bar yn y gwesty, ac mae'n amlwg fod y ddau yn cael eu denu at ei gilydd. Yn ail, tua'r un amser, mae dyn yn cyrraedd y gwesty i aros a phan sylwa perchennog y gwesty ei fod yn gloff, mae'n amlwg i'r darllenydd pwy ydyw. Dyma'r dyn y mae'r heddlu'n chwilio amdano. Wrth iddo arwyddo llyfr y gwesty, cawn wybod ei enw – Richard Jones, a'r ffaith ei fod yn byw yn Lerpwl. Yna, wrth iddo ddisgwyl am ei swper, cawn rannu ei feddyliau a chael gwybod beth mae'n ei wneud yn yr ardal. Mae wedi dod yn ôl i godi'r diemwntiau. Cawn ychydig o gefndir y lladrad a chawn wybod beth oedd pwrpas ymweliad Richard Jones â'r ysbyty. Roedd yno i gael cadarnhad fod Harri Evans yn marw. Harri Evans yw'r unig un sy'n gwybod am ran Richard Jones yn y lladrad, a gyda'i farwolaeth ef bydd problem Richard Jones, sef y perygl o gael ei gysylltu â'r drosedd, yn diflannu.

Yn y cyfamser, yn yr ysbyty, mae *Harri Evans yn marw*, fel y caiff y darllenydd wybod ar ddiwedd y bennod.

Pennod 5 – 10

Mae'r ddwy stori yn cael eu datblygu bob yn ail yn y penodau yma.

Mae stori Richard Jones yn cael ei dweud yn bennaf o'i safbwynt ef ei hun ac o safbwynt yr heddlu. Rydym ni fel darllenwyr yn dal i fod gam ar y blaen; rydym ar y blaen i Richard Jones am ein bod yn gwybod bod yr heddlu ar ei ôl, ac rydym ar y blaen i'r heddlu am ein bod yn gwybod symudiadau Richard Jones.

Mae Richard Jones yn gyfarwydd â'r ardal am ei fod wedi treulio llawer o'i amser yma pan oedd yn blentyn, gyda'i ewythr a'i fodryb. Ar ôl y sioc o ddarganfod fod stâd o dai wedi'i hadeiladu yn y cae lle mae'r diemwntiau, mae'n treulio'r dyddiau nesaf yn *cynllunio* sut i gyrraedd atyn nhw. Dealla mai perthynas iddo, cefnder ei fam, a oedd wedi gwerthu'r tir ar gyfer y tai, ac yn y gobaith o gael mwy o wybodaeth mae'n mynd i weld yr ewythr. Cymeriad yr ydym eisoes wedi ei gyfarfod yw hwnnw, Now Tan Ceris. Trwy gymryd arno ei fod eisiau prynu tŷ yn yr ardal, mae Richard Jones yn llwyddo i leoli'r diemwntiau – maen nhw rywle wrth ymyl y ddau dŷ lle mae Meredydd a Gladys yn byw. Mae'n mynd yno ganol nos i archwilio'r lle – gwelwn hyn trwy lygaid Meredydd ac Einir yn gyntaf, wrth iddyn nhw edrych trwy'r ffenestr, ac yna trwy lygaid Gladys, trwy ei ffenestr hithau. Mae gan Gladys galon wan, ac mae'r sioc o weld dyn yn ei gardd yn rhoi trawiad farwol iddi. Mae *marwolaeth Gladys* yn troi'n fantais i Richard Jones, yn enwedig ar ôl iddo gael gafael ar gynlluniau sy'n dangos bod y diemwntiau yng ngardd tŷ Gladys, o dan neu yn ymyl y sied.

Yn y cyfamser, mae'r *heddlu* wedi bod yn brysur. Ar ôl i Gareth Hughes, y plismon lleol, adnabod Richard Jones fel dyn a oedd wedi cael damwain yn Hirfaen bum mlynedd ynghynt, mae'r darnau'n dechrau disgyn i'w lle. Gyda Richard Jones wedi mynd yn ôl i Lerpwl am dair wythnos, mae'r Arolygydd wedi darganfod ei holl fanylion, gan gynnwys manylion ei gyfrifon banc. Ar ôl i'r lleidr ddod yn ôl o Lerpwl, mae'r Arolygydd yn ei wylio'n mynd i swyddfa'r pensaer ym Mhenerddig, ac yn dyfalu pwrpas ei ymweliad â Hirfaen. O hyn ymlaen mae Richard Jones yn cael ei wylio ddydd a nos.

Ochr yn ochr â stori gyffrous Richard Jones, mae stori fwy hamddenol perthynas *Meredydd ac Einir* yn cael ei datblygu. Os yw'r stori arall yn dibynnu ar blot manwl, stori'n dibynnu ar gyfleu teimlad yw hon, wrth i'r ddau syrthio mewn cariad. Mae *Pennod 8*, tua mis ar ôl iddyn nhw gyfarfod, yn rhyw fath o garreg filltir yn y stori, wrth iddyn nhw dreulio prynhawn braf ar lan y môr cyn caru am y tro cyntaf. Y noson honno hefyd, mae Meredydd yn disgrifio wrth Einir y profiad o golli ei rieni mewn damwain car a arweiniodd at foddi'r ddau. Dyma'r tro cyntaf iddo drafod y peth gyda neb, ac er fod y manylion erchyll yn dychryn Einir, mae cael dweud yn gwneud lles i Meredydd ac fel petai'n selio eu perthynas.

Nid yw'r ddwy stori'n gyfan gwbl ar wahân, gan fod *dwy ddolen gyswllt* rhyngddyn nhw. Un yw'r ffaith fod Einir yn gweithio yn y gwesty lle mae Richard Jones yn aros, a'r ail yw'r ffaith fod ffortiwn Richard Jones wedi'i chladdu yn ymyl tŷ Meredydd. Mae'r ddau beth yn rhoi sawl cyfle i'r

cwpwl a'r dieithryn sylwi ar ei gilydd. Meredydd sy'n rhoi'r wybodaeth allweddol i'r heddlu fod Richard yn aros yn yr Erddig. Yn ddiweddarach, mae'n gallu rhoi mwy o wybodaeth ar ôl iddo ef ac Einir weld y dyn y tu allan i'r tŷ ganol nos.

Ar ben hyn, mae'r *is-stori* y cyfeiriwyd ati ynghynt yn cyrraedd uchafbwynt yn y rhan yma o'r nofel, wrth i Gareth Hughes ddysgu gwers i Huw Gwastad Hir. Er mwyn ei rwystro rhag ymosod eto ar Meredydd, mae'r plismon yn rhoi cweir iawn i'r llanc meddw. Tua'r un adeg, mae Bethan Gwastad Hir wedi callio o'r diwedd, er rhyddhad i'w thad. Ac ar ôl claddu ei modryb Gladys, mae'n ymddangos fod helyntion Meredydd gyda'r teulu hwn ar ben.

Pennod 11

Dyma **uchafbwynt dramatig** y nofel, ac i Richard Jones 'uchafbwynt pum mlynedd o aros ac o boeni' – noson codi'r diemwntiau.

Cynllun Richard Jones yw tyrchu o dan y sied at y blwch, ac yna mynd yn ôl i Lerpwl, yn ddyn cyfoethog iawn. Ar ôl oriau o balu, mae'n ymddangos ei fod ar fin llwyddo. Ond eiliadau ar ôl iddo ddod o hyd i'r blwch, mae'n clywed lleisiau y tu allan – lleisiau'r heddlu. Mae ail hanner y bennod yn disgrifio ymdrech Richard Jones i ddianc. Mae'n mynd ar draws gerddi a chaeau, ac yn lladd ci Now Tan Ceris ar ôl i hwnnw ei gnoi at yr asgwrn. Er ei fod mewn poen, mae'n dal i fynd ac yn y diwedd yn cyrraedd tir creigiog, serth uwchben y môr. Hyd yn oed ar ôl syrthio i lawr y llethr a brifo'i ochr, mae'n dal i feddwl am ddianc. Ond yna syweddola fod y môr yr ochr anghywir iddo, ac wrth geisio troi i wynebu'r ffordd arall mae'n cwympo, a'r tonnau'n ei ysgubo i ffwrdd.

Pennod 12

Mae'r bennod yn agor y bore ar ôl y digwyddiadau mawr. Mae Meredydd yn deffro i weld yr ardd drws nesaf yn **llawn plismyn**. Er mor anhygoel yw'r stori, yr wybodaeth sy'n syfrdanu Meredydd yw fod yna gant o ddynion 'yn chwilio'r tir am ddyn wedi boddi'. Mae hyn yn ei atgoffa'n syth o'r adeg pan foddodd ei rieni. Rydym eisoes yn gwybod na chafodd Meredydd lawer o help gan yr heddlu yr adeg hynny, ac mai ef ei hun a ddaeth o hyd i gorff ei dad, profiad sy'n dal yn hunllef iddo. Cofio hyn – a'r ffordd y cafodd ef ei hun ei drin gan yr heddlu – sy'n gwneud iddo wylltio gydag un o'r plismyn yn ddiweddarach yn y bennod. Golygfa yw hon i Meredydd gael mynegi rhai o'r teimladau chwerw sydd wedi bod yn ei gorddi, ac mae cwmni Einir a sgwrs gyda Now Tan Ceris yn help iddo ddod ato'i hun eto.

Trwy lygaid Meredydd ac Einir, neu'n hytrach trwy eu sbienddrych, o ben mynydd, y gwelwn *yr olygfa olaf yn stori Richard Jones*, wrth i'w gorff gael ei gario i'r lan a'i gludo i ffwrdd mewn hers. Gyda'r cyffro drosodd, mae'r pwyslais yn ôl ar y stori arall – *perthynas Meredydd ac Einir*. Daw'r nofel i ben gyda'r ddau yn cerdded adref o'r Wylan Wen, a Meredydd yn gofyn, unwaith eto, i Einir ddyweddïo ag ef. Er nad yw hi'n cytuno, mae'n amlwg fod yma berthynas sy'n mynd i barhau. Wrth i un stori orffen, mae'r llall, ar un ystyr, newydd ddechrau.

Cymeriadau

Nid yw plot llawn *Ac Yna Clywodd Sŵn y Môr* yn caniatáu lle i'r awdur oedi'n hir gyda'r cymeriadau, ac eto mae yma bortreadau lliwgar iawn. Awdur yw Alun Jones sy'n gallu cyfleu llawer mewn ychydig eiriau.

Richard Jones

Y prif gymeriad yw Meredydd, ond efallai mai'r arwr yw Richard Jones. Does neb yn debyg o hoffi'r dyn od hwn; wedi'r cyfan, dyma ddyn drwg y nofel. Ac eto, wrth i bethau droi yn ei erbyn ar y diwedd, mae'n anodd peidio â chydymdeimlo ag ef.

Ffigwr sinistr heb enw yw'r dyn sy'n claddu'r blwch ar ddechrau'r nofel, ac argraff anffafriol iawn ohono a gawn gan Harri Evans, rai penodau'n ddiweddarach. Dyma ddyn a dwyllodd ei gyfaill – ei berswadio, yn erbyn ei ewyllys, i'w helpu mewn gweithred front ac yna ei adael heb ddim ond cydwybod euog. Mae'r darlun hwn o ddyn hunanol yn cael ei gadarnhau wrth inni ymuno â Richard Jones ei hun, yn y gwesty. Wrth feddwl am y lladrad, a'r ffaith ei fod wedi gorfod cuddio ei gyfoeth, mae'n rhoi'r bai i gyd ar Harri Evans, am fod hwnnw, yn ei banig, wedi saethu'r siopwr. Unig ddiddordeb Richard Jones yn Harri Evans yn awr yw cael cadarnhad ei fod yn marw. Yn yr un ffordd, mae'n gweld 'mantais' ym marwolaeth Gladys yn nes ymlaen, er ei fod yn amau mai'r sioc o'i weld ef yn yr ardd a achosodd ei thrawiad ar y galon.

Llwyddiant ei gynllun sy'n bwysig i Richard Jones, a dim arall. Mae'n gwneud popeth mor fanwl ac mor ofalus ag y mae'n claddu'r gemau, a chyn bo hir mae'r Arolygydd yn sylweddoli ei fod yn delio â 'dyn clyfar iawn'. Bod yn gyfrwys yw arwyddair Richard Jones, mae'n ymddangos, a dyna sy'n mynd trwy ei feddwl noson codi'r diemwntiau:

> Bu ar ei wyliadwriaeth ers pum mlynedd, byddai ar ei wyliadwriaeth heno, a byddai ar ei wyliawriaeth hyd ddiwedd ei oes. Dyna'r unig ffordd. (197)

Mae Richard Jones yn rhy ofalus, wrth gwrs, i ddatgelu llawer am ei gefndir wrth y bobl sy'n holi, ac ychydig iawn a gawn ninnau, fel darllenwyr, ei wybod. Mae tua deugain oed ac wedi ei hyfforddi fel gemydd, ond wedi canolbwyntio ar brynu a gwerthu gemau. Mae'n byw yn Lerpwl mewn fflat moethus. Bu'n briod unwaith, ond fe chwalodd y briodas. Dyn unig ydyw – o ddewis erbyn hyn, mae'n ymddangos.

Y cynlluniwr oeraidd, hunanol – dyna'r brif argraff a gawn. Ac eto, er mor galed ydyw, cawn olwg weithiau ar ochr arall i'w gymeriad. Mae'n amlwg fod ganddo deimladau cynnes tuag at ei blentyndod, yn enwedig yr amser a dreuliodd ar ei wyliau yn Hirfaen. Mae atgofion am chwarae pêl-droed, chwarae cowboi a gwersylla yn mynnu dod yn ôl. Er ei fod yn edrych i lawr ei drwyn ar Now ac ar fywyd cefn gwlad yn gyffredinol, mae dod yn ôl i Dan Ceris, a chael popeth yr un fath, yn brofiad sy'n ei gyffwrdd. Ceir y teimlad ei fod yn dal gafael yn ei atgofion plentyndod fel yr unig beth hapus yn ei fywyd.

Wrth weithio yn y sied, cawn ein hatgoffa unwaith eto mai bod dynol, yn teimlo fel pawb arall, yw Richard Jones wedi'r cyfan. Mae'n mynd o un emosiwn i'r llall, yn cael ei dynnu rhwng y cynnwrf sydd yn ei galon a'r angen i fod yn ddistaw, yn ofalus ac yn amyneddgar. Mae'n cael ei siomi, mae'n gwylltio, mae'n blino, mae'n digalonni, ond yn dal ati yn benderfynol. Pan deimla'r blwch o dan ei fysedd, mae'n crynu ac yna'n wylo mewn rhyddhad a llawenydd. Mae un frawddeg syml yn crynhoi ei deimladau:

> Taniodd sigarét orau'r greadigaeth. (205)

Ond o fewn eiliadau, wrth iddo glywed lleisiau'r heddlu, mae'r hapusrwydd yn troi'n ofn, ofn sy'n gwneud iddo gyfogi. Ond gwyddom erbyn hyn nad un i ildio'n hawdd yw Richard Jones, ac mae'r ofn yn troi'n benderfyniad.

Fel golygfa'r sied, mae'r olygfa sy'n disgrifio ei ymdrech ddewr i ddianc yn gampwaith o ddisgrifio teimladau cymysglyd. A chymysglyd yw ein hymateb ninnau i Richard Jones fel cymeriad – rydym yn ei gasáu ac yn ei edmygu bob yn ail. Mae ei dynged greulon ar y diwedd yn ein hysgwyd. Mae'r portread yn brawf o allu Alun Jones i bortreadu cymeriad trwy awgrym ac argraff.

Meredydd

Dyn unig ar antur ryfedd yw Richard Jones. Dyn llawer mwy cymdeithasol a hoffus yw Meredydd, ac eto mae ganddo yntau ei broblemau a'i gymhlethdodau.

Yn bump ar hugain oed ac yn sengl, mae'n gweithio fel pensaer ym Mhenerddig. Mae trasiedi ei rieni flwyddyn a hanner yn ôl, a helynt yr achos llys sydd newydd fod, wedi gadael eu hôl arno. Canolbwyntia'r portread ar y ffordd y mae'n dod i delerau â'r ddau beth yma, a'r ffactor allweddol yw ei berthynas ag Einir.

Mae'r dyddiau cyntaf ar ôl iddo gael ei ryddhau yn gymysgedd o hapusrwydd a siom i Meredydd. Er ei fod yn cael ei ddyfarnu'n ddieuog, mae protestiadau teulu Gwastad Hir yn argoeli'n ddrwg, ac mae ymosodiad Huw arno yn gwireddu ofnau pawb. Mae'r cof am gael ei gam-drin yn Risley yn fyw, ac yn ddiweddarach cawn wybod ei fod wedi mynd mor bell ag ystyried hunanladdiad. Ond ar ôl tri mis o gaethiwed, mae'n gwerthfawrogi'r rhyddid i wneud pethau syml fel mynd am dro, ac mae croeso'r pentrefwyr (neu'r rhan fwyaf ohonyn nhw) yn codi ei galon. Mae hwyl Yr Wylan Wen yn donic.

Y peth pwysicaf, fodd bynnag, yw cyfarfod Einir. Mae ei sgyrsiau cyntaf â hi yn dangos agwedd arall ar y ffordd y mae'r achos llys wedi effeithio arno; mae pawb yn gwybod yr hanes, ac er ei fod yn ddieuog, mae'n ofni sut y bydd Einir yn ymateb iddo. Ond daw dros ei swildod cyn bo hir, ac Einir mewn gwirionedd sy'n adfer ei ffydd ynddo ef ei hun. Mae stori garu yn elfen ganolog yn bron bob un o nofelau Alun Jones, ac yma, mae'n bwysig o ran datblygiad Meredydd fel cymeriad. Y trobwynt, fel y dangoswyd wrth grynhoi'r plot, yw'r noson pan lwydda i ddweud hanes boddi ei rieni wrth Einir. Dyma'r noson hefyd pan ddatgelir i ni'r darllenwyr beth ddigwyddodd rhwng Meredydd a Bethan – ar ôl iddo ef orffen gyda hi, roedd Bethan wedi gwylltio ac wedi curo ei chorff ei hun â brigau, gan honni'n ddiweddarach iddi gael ei threisio.

Mae Meredydd yn sicr wedi dioddef. Ond mae'r awdur yn ofalus i beidio gwneud sant ohono. Mae ganddo ei wendidau, a'r un amlycaf yw ei duedd i fod yn hunandosturiol. Dyna sy'n arwain at yr olygfa lle mae'n colli ei dymer gyda'r heddlu yn y bennod olaf, fel y sylweddola Einir. Mae hi eisoes yn ei adnabod yn dda, yn gwybod yn iawn sut y mae ei drin.

Cymeriadau eraill

Y pwysicaf o'r cymeriadau eraill, wrth gwrs, yw *Einir*. Caiff ei phortreadu bron yn gyfan gwbl drwy ei sgwrs. Mae'n fywiog a llawn hwyl, ac mae ganddi ateb ffraeth i bopeth a ddywed Meredydd. Er nad yw wedi cael coleg, mae'n ddeallus ac efallai y bydd ambell ddarllenydd yn gofyn pam felly y mae hi'n gweithio y tu ôl i'r bar yn yr Erddig. Mae'r ateb yn cael ei awgrymu yn yr wybodaeth fod ei chariad diwethaf wedi torri eu dyweddïad – rhyw fath o ddihangfa oddi wrth hynny oedd dod i Benerddig i fyw a gweithio. Y profiad chwerw hwnnw sy'n gwneud iddi ddal yn ôl rhywfaint yn y berthynas â Meredydd. Ond mae'n amlwg ei bod mewn cariad ag ef.

Cymeriadau ymylol yw'r lleill, ond mae'n werth crybwyll y ddau bwysicaf. Y cyntaf yw *Now Tan Ceris*, sy'n dod yn fyw o flaen ein llygaid mewn sawl golygfa. Now, gyda'i dynnu coes, sy'n creu llawer iawn o hiwmor y nofel. Mae'n gymeriad anghonfensiynol; er ei fod yn byw ar ffarm, mae wedi gwerthu'r tir ac yn byw ar ei arian ar ôl penderfynu nad oes pwrpas gweithio ei hun i'r bedd fel y gwnaeth ei chwaer. A dyma ddyn a lwyddodd i osgoi mynd ar reithgor trwy honni nad oedd yn gall! Ond y gwir yw fod Now yn llawer callach na'i ymddangosiad, fel y mae Richard Jones yn sylweddoli:

> ... nid gwladwr syml llyncu popeth a eisteddai o'i flaen ond dyn â meddwl a thafod fel llafn rasel. (134)

Mae Now wedi gweld trwy Richard Jones o fewn dim amser, ac mae ei siarad plaen yn gwneud i'r dieithryn deimlo'n anesmwyth iawn.

Dynes fusneslyd y pentref yw *Gladys Drofa Ganol*, yn rhoi barn ar bawb a phopeth heb wybod y ffeithiau. Yr enghraifft fwyaf o hyn yw ei hymateb hollol eithafol i'r newydd am ryddhau Meredydd. Yn nes ymlaen, yn ei hangladd, cawn wybod fod ganddi reswm plentynnaidd dros gasáu Meredydd. Gwraig arwynebol, dwp yw hi a ffigwr trist, mewn gwirionedd; mae gorymateb i bethau yn ail natur iddi, ac yn y diwedd mae'n cyfrannu at ei marwolaeth. Does ganddi ddim teulu agos a does neb yn gweld ei cholli.

Mae'r *Arolygydd* a *Gareth Hughes* yn gymeriadau byw hefyd; cawn air am y ddau yn nes ymlaen wrth drafod yr heddlu.

Themâu

Oherwydd y pwyslais ar ddweud stori gyffrous, mae'n hawdd meddwl nad oes themâu yn y nofel hon. Ond mae yna o leiaf ddwy thema yma, i'r sawl sydd am chwilio, a'r rheiny'n gwrthgyferbynnu â'i gilydd.

Cyfraith a threfn

Dyma thema sy'n berthnasol i'r ddwy stori, mewn ffyrdd gwahanol.

Yn stori Meredydd, mae yna feirniadaeth amlwg ar yr holl system. Yng ngolygfa'r llys, mae yna feirniadaeth ar y math o bobl sydd i fod i weinyddu cyfiawnder, yn y darlun o'r bargyfreithiwr sy'n amddiffyn Meredydd. Does gan y dyn hunan-bwysig hwn, Robert Roberts, 'Ciw Si', ddim diddordeb yn Meredydd fel person; ar ôl rhoi perfformiad clyfar yn y llys, mae'n ymadael heb ddweud fawr ddim wrth y diffynydd. Dyn ydyw sydd wedi dringo'n uchel mewn cymdeithas trwy ei roi ef ei hun, a'i yrfa, yn gyntaf bob amser. Mae Meredydd yn ei gasáu, ac fel y gwelsom, mae ganddo achos i gasáu'r heddlu hefyd. Dyma ddyn dieuog sydd wedi dioddef o dan y drefn, wedi cael ei gam-drin yn ffiaidd gan yr union rai sydd i fod i gynnal cyfraith a threfn.

Mae stori Richard Jones yn portreadu'r heddlu mewn golau mwy ffafriol. Mae yna bobl wedi dioddef oherwydd y dyn hwn – Harri Evans, yn sicr, a'r siopwr a gafodd ei saethu yn ystod y lladrad. Er mai Harri Evans a bwysodd y triger, ni fyddai yno o gwbl onibai fod Richard Jones wedi ei berswadio. Felly, mae'r heddlu, yn yr achos yma, ar yr ochr 'dda'. Mae'r Arolygydd sy'n arwain y tîm yn ddyn gonest a chlyfar, ac yn Gareth Hughes fe gawn ddarlun o'r plismon pentref egwyddorol sydd hefyd â thipyn o gymeriad a sbarc yn perthyn iddo.

Ar ddiwedd stori Richard Jones, fodd bynnag, gwelwn mor hunanbwysig a thrahaus y gall yr heddlu fod. Trwy lygaid Meredydd y gwelwn hyn, ac ef sy'n ein hatgoffa bod lle i amau eu blaenoriaethau; mae pob carreg wedi'i throi i geisio dal Richard Jones, ond doedd neb am helpu Meredydd pan foddodd ei rieni.

Gwerth cymdeithas

Mae'r cyfryngau yn ogystal â'r heddlu a phwysigion y gyfraith yn cael eu beirniadu yn *Ac Yna Clywodd Sŵn y Môr*, ac mae dangos rhagrith a thwyll pob math o sefydliad, o blaid wleidyddol i'r capel, yn thema gyson yng ngwaith Alun Jones. Ond mae yna thema arall sydd fel petai'n gwrthweithio'r thema hon o hyd, sef gwerth cymdeithas dda. Dywedodd yr awdur mewn cyfweliad mai cymdogaeth dda yw un ateb i'w besimistiaeth ynghylch elfennau eraill mewn bywyd. Mae hyn yn sicr i'w weld yn y nofel gyntaf.

Yn ogystal ag Einir, mae sawl un arall yn helpu Meredydd i ddod ato'i hun ar ôl ei brofiad dychrynllyd yn Risley. Un yw Gwyndaf Pritchard, ei dwrnai, a dyn hollol wahanol i'r bargyfreithiwr y cyfeiriwyd ato uchod. Gwyndaf Pritchard a wnaeth y gwaith caled i gael Meredydd yn rhydd, ac ef sy'n llwyddo i godi ei galon ar ôl yr achos. Mae ei wraig yn chwaer i fam Meredydd, ac mae consýrn y ddau amdano'n amlwg. Mae hynny'n wir hefyd am Now Tan Ceris, yn ei ffordd ei hun, ac am Wil Garej a'i wraig. Nhw sy'n helpu Meredydd ar ôl i Huw Gwastad Hir ymosod arno, ac yn ddiweddarach maen nhw'n rhwystro ymosodiad arall gan Huw trwy ffonio'r heddlu.

Mae lle canolog i'r dafarn yn y nofel, ac mae'r hwyl a'r tynnu coes yn

Yr Wylan Wen ar ôl yr achos yn therapi i Meredydd. Erbyn diwedd y nofel, mae'n amlwg fod yna groeso mawr i Einir hefyd i gymdeithas Yr Wylan Wen.

Mae gwrthgyferbyniad amlwg rhwng ffordd o fyw unig, annaturiol Richard Jones a chymdeithas glòs, naturiol y pentref. Ar yr un pryd, mae bodolaeth cymeriadau annymunol fel Gladys Drofa Ganol a Huw Gwastad Hir yn sicrhau nad yw'r darlun yn un du a gwyn.

Iaith ac Arddull

Deialog naturiol yw un o'r pethau gorau yn nofelau Alun Jones, ac mae digon ohoni yn *Ac Yna Clywodd Sŵn y Môr*. Iaith Llŷn, lle mae'r awdur ei hun yn byw, yw iaith y cymeriadau, yn llawn geiriau a ffordd o ddweud unigryw pobl y rhan hon o Gymru. Mae dyn papur newydd yn 'jarffyn', mae Gladys yn 'hen sgriwan hyll' ac mae bron bob dyn yn 'llarpad'! Ond mae llunio deialog dda yn golygu mwy na defnyddio'r geiriau iawn; mae rhythmau'n bwysig hefyd, ac mae'r awdur hwn yn adnabod rhythmau'r iaith lafar. Mae pob sgwrs yno i bwrpas – cyflwyno gwybodaeth newydd, dweud mwy wrthym am y cymeriadau sy'n siarad neu am y berthynas rhyngddyn nhw, neu wneud pob un o'r rhain yr un pryd.

Enghraifft dda o ddefnyddio sgwrs i ddangos agweddau yw'r darn lle mae Meredydd yn mynd i siopa yn Hirfaen ar ôl cael ei ryddhau. Wrth iddo fynd o siop i siop, mae ymateb y siopwyr i'r dyfarniad yn dod yn amlwg yn eu sgwrs, a lletchwithdod y sefyllfa yn cael ei gyfleu hefyd. Mae'r olygfa ddoniol yn siop Harri Jôs (sy'n perthyn i deulu Gwastad Hir) yn defnyddio deialog bob yn ail â brawddegau o naratif i ddangos fel y mae agwedd Harri yn newid wrth i Meredydd brynu mwy a mwy o nwyddau.

Mae'r naratif yr un mor amrywiol â'r ddeialog, a *rhythmau* yn cael eu defnyddio i gyfleu'r ystyr. Dyma baragraff sy'n cyfleu meddyliau Richard Jones, yn fuan ar ôl iddo ddarganfod bod tai wedi eu codi ar y tir lle mae'r diemwntiau:

> Clodd Richard ei hun yn ei ystafell ac aeth ar y gwely. Damia. Ceisiodd gael ei ben yn glir i feddwl. Damia damia damia. Saethai popeth drwy ei feddwl bob sut. Cododd. Taniodd sigarét. Cerddodd at y ffenest. Cerddodd at y gwely. Cerddodd at y drws. Pa hawl oedd gan neb i wneud tai? Damia las. Cerddodd at y ffenest. Pwy fyddai eisiau codi tai? I beth, yn enw pob rheswm? Be wnâi o'n awr? Yr holl blaniau, yr holl gynllunio manwl wedi mynd i'r gwynt. I be aflwydd oedd eisiau adeiladu tai yng nghaeau Tan Ceris o bobman? (88-9)

Yma, mae'r brawddegau byr a'r ailadrodd geiriau yn hanner cyntaf y paragraff yn cyfleu nid yn unig symudiadau Richard Jones, ond stad ei feddwl hefyd – dyn wedi cael sioc sydd yma, ac yn methu gwybod beth i'w wneud nesaf. Mae'n methu credu'r hyn sydd wedi digwydd, ac mae hynny'n cael ei gyfleu yn ail hanner y paragraff mewn cyfres o gwestiynau.

Arddull gynnil yw un Alun Jones, yn dibynnu mwy ar amrywio rhythmau a hyd brawddegau nag ar ddisgrifio blodeuog. Mae hefyd yn dibynnu ar ddewis y gair neu'r geiriau iawn, er enghraifft dweud bod plismyn yn pwyntio gyda 'breichiau sydyn, pwysig'. Ac ar ôl i Richard Jones ofyn un o'i gwestiynau rhyfedd i Now Tan Ceris, mae Now yn dweud wrtho'i hun, mewn trosiad trawiadol, mai 'un cwestiwn rhyfedd' yw Richard ei hun, 'un rhyfedd o'i streipen wen i'w 'sgidiau sglein.' Mae'n ddiddorol mai ychydig o ddisgrifio ymddangosiad allanol sydd yn y nofel, ond trwy argraffiadau cryno fel y rhain daw'r cymeriadau'n fyw o flaen ein llygaid.

Cyn cloi, mae'n werth crybwyll un peth arall, sef y **cyfeiriadau at y môr** sy'n digwydd trwy'r nofel. Mae geiriau'r teitl trawiadol yn dod o'r darn lle mae Richard Jones yn dianc, ac yn sylweddoli ei fod wedi cyrraedd y môr (gweler y darn a ddyfynnir ar ddiwedd y bennod hon); o droi'n ôl at y prolog, gwelwn fod sŵn y môr yn rhan bwysig o'i atgofion plentyndod. Yn awr, wrth ddianc, mae'r sŵn yn rhoi gobaith newydd iddo – mae'n gwybod lle mae a pha ffordd i fynd, neu mae'n meddwl ei fod yn gwybod. Yr eironi yw mai'r môr, ymhen munudau wedyn, sy'n rhoi diwedd ar Richard Jones. Mae'r môr yn rhan o stori Meredydd hefyd, wrth gwrs, gan mai yn y môr y daeth o hyd i gorff ei dad ar ôl y ddamwain. Ond nid yw hynny wedi lladd ei hoffter o'r môr, a phrofiadau hapus yw nofio ynddo, cerdded uwch ei ben ac edrych arno gydag Einir. Mae'r môr felly yn agwedd arall ar undod perffaith y nofel hon.

Darn o *Ac Yna Clywodd Sŵn y Môr*

Gwingai dan boen, ond yr oedd yn rhaid iddo ddal i fynd. Yr oedd yn rhaid iddo osgoi carchar. Petaent yn ei ddal, byddent yn ei roi mewn carchar. Sut y cawsant wybod am y gemau? Pwy ddywedodd wrthynt, ar ôl pum mlynedd? Harri? Yr oedd Harri wedi marw. Ni fyddent yn rhoi Harri mewn carchar. Byddent yn taeru mai ef ac nid Harri a saethodd y siopwr, ac yn ei garcharu am ei oes. Byddai'n rhaid iddo gymysgu'n glòs â phobl eraill, a galw rhai ohonynt yn syr. O Dduw annwyl yr oedd yn rhaid iddo ddianc.

Ar ôl dianc, byddai angen iddo newid bywyd. Ailddechrau. I ble'r âi? Llundain. Na, yr oedd pob ffŵl yn mynd i Lundain. Lle gwellt, lle drama. Ond yr oedd pobman arall yn rhy fach. Mynd dros y môr. Ie, fe âi dros y môr. Ond byddai'r giwaid yn disgwyl amdano ym mhob porthladd a maes awyr. Yr oedd ganddynt ddynion â dawn i ddysgu adnabod wynebau ganddynt; ni fyddent ond munud neu ddau yn dysgu un arall. Beth petai'n mynd i Landudno a mynd i Ynys Manaw? Yr oedd hwnnw'n syniad newydd. Efallai y byddai'n haws dianc o Ynys Manaw nag o Loegr.

Gwelai ei hun yn sefyll mewn rhes unffurf yn dal plât i gael bwyd. Gwelai ddyn mewn siwt las a chap sbidcop yn dod ato a'i wawdio, a chael hwyl am ei ben a phoeri yn ei wyneb. Yr oedd yn rhaid iddo fynd ymlaen. Ond ni fedrai. Yr oedd yn rhaid iddo gael seibiant. Yr oedd yn gorfod llusgo'i goes dde ar ei ôl fel ci'n tynnu car llusg. Arhosodd, a chwympodd ar y llawr. Cododd ar ei eistedd. Yr oedd y boen yn ei fygu. Wrth gerdded a meddwl yr oedd wedi gallu cuddio rhywfaint ar y gwirionedd, ond yn awr nid oedd amheuaeth. Yr oedd ei goes yn mynd i wrthod ei gynnal. Plygodd, a thynnodd goes ei drowsus i fyny. Glynai ei drowsus yn ei goes a meddyliodd y byddai'n marw mewn poen cyn cael y trowsus yn ddigon rhydd i'w gael dros ei ben glin. Ymbalfalodd yn ei boced am ei lamp, a chofiodd ei bod yn y sied. Ond gwyddai bod ganddo fatsen.

Tynnodd y blwch o'i boced ac edrychodd o'i gwmpas. Taniodd fatsen a chysgododd y fflam â'i law chwith. Edrychodd yn syn ar y llanast. Yr oedd y briw'n ddulas a'i goes odano'n goch i gyd. Troesai'r hosan ei lliw a theimlai'r gwaed yn dew rhwng bodiau ei draed. Y blydi ci. Ac yr oedd ei ffêr yn curo gan boen, gyda phigiadau cyson yn gwibio drwy ei gorff. Yr oedd yn siŵr bod y bin a ddaliai'r esgyrn wedi symud. Yr oedd yn rhaid ei fod wedi troi ei droed yn yr ymladdfa gyda'r ci. Blydi ci. Blydi coes. Hances boced.

Tynnodd ei hances a'i phlygu. Lapiodd hi'n dynn am y briw, ond ni fedrai ei chadw'n ei lle. Byddai'n rhaid iddo'i chlymu â rhywbeth. Ond yr oedd yn gwella'n barod, dim ond wrth ei dal ar y briw gyda'i law. Beth am garai ei esgid? Ond sut medrai gerdded heb garai? Ni fedrai ddianc mewn esgidiau heb eu cau. Esgidiau heb garai oedd gan bobl mewn cell. Mynd i garchar. Na, yr oedd ef am ddianc. Nid oedd ef am fynd i garchar.

Tynnodd y ddwy garai oddi ar ei esgidiau a chlymodd un yn dynn am yr hances. Torrodd y llall yn ei hanner a rhoes hanner carai i bob esgid, gan adael y tyllau uchaf ar bob esgid yn wag. Gweithiodd hynny'n iawn.

Dyna'r hyn oedd i'w gael wrth feddwl, wrth ystyried yn dawel. Rhoes y trowsus yn ôl dros ei goes, a chododd ar ei draed gan ddal ei bwysau ar ei droed chwith. Yn araf a gofalus newidiodd ei bwysau i'r droed dde. Ni fedrai ymatal rhag gwenu. Nid oedd yr un dyn. Dechreuodd gerdded. Yr oedd am ddianc.

Edrychodd yn ei ôl. Nid oedd hanes o olau yn unman, dim o'i ôl, dim i'r aswy nac i'r dde, dim o'i flaen. Yr oedd ar ei ben ei hun. Ond yr oedd yn rhaid iddo ddal i gerdded. Bore fory byddent yn dod i chwilio amdano ac yr oedd angen iddo fod cyn belled ag y medrai erbyn hynny. Nid oedd ganddo syniad ym mhle'r oedd, ond tybiai iddo gadw ar yr un lefel bron o'r dechrau; nid oedd wedi dringo na disgyn rhyw lawer. Gwyddai oddi wrth ei gerddediad ei fod ar lethr yn awr; disgynnai'r tir i'r dde oddi wrtho'n bur serth. Erbyn meddwl, syniad gwirion oedd mynd i Ynys Manaw; byddai'r fan honno cyn berycled bron â Phenerddig, heb unman i ddianc ohoni. Efallai y byddai'r Alban yn well, Glasgow neu Gaeredin. Ac efallai y medrai ddyfeisio cynllun i gael ei arian o'r banc. Rhoddai hynny rywbeth iddo i feddwl amdano yn ystod yr wythnosau nesaf, tra byddai'n ymguddio. Byddai hynny'n her hefyd; os oedd y diawliaid eisiau her, yr oeddent wedi dewis yr union ddyn i'w rhoi iddynt.

Ond yr oedd ei goes yn brifo eto. Cloffai fwy gyda phob cam, ac yr oedd yn rhaid iddo gael seibiant arall. Arhosodd, ac eisteddodd ar garreg wleb gan afael yn ei goes â'i ddwy law i'w symud i'w chael o'i flaen. Caeodd ei lygaid yn dynn i geisio cael gwared â'r boen. Meddyliai bod ei goes yn mynd yn ddiffrwyth. Daeth ofn arno. Yr oedd madredd am ei gerdded. Byddai'n rhaid iddo fynd at feddyg, a byddai'r meddyg yn ei garcharu am ei oes. Rhoes ei law ar ei dalcen. Yr oedd yn mynd yn chwil. Dylai ei dalcen fod yn gynnes, ond yr oedd yn oer, oer. Ond yr oedd ei droed yn gynnes.

Cododd goes ei drowsus a darganfu'n syth bod yr hances wedi disgyn at ei ffêr. Rhegodd, a phlygodd i'w chodi. Ni allai ei atal ei hun rhag colli ei gydbwysedd, a disgynnodd yn bendramwnwgl i lawr. Ceisiodd atal ei godwm ond yr oedd yn rowlio i lawr yr ochr. Ceisiodd blannu ei ddwylo yn y gwellt, ond yr oedd y prinder pridd yn ei wneud yn llithrig, a daliai i ddisgyn. Trawodd ei ochr yn greulon ar garreg nes ei fod yn troi. Ond yr oedd wedi peidio â rowlio, a llithrai ar ei fol i lawr yr ochr. Gafaelodd mewn sypyn o wellt, a daeth hwnnw i ffwrdd i'w ganlyn. Arafodd hynny fymryn arno, fodd bynnag, a llwyddodd i afael mewn sypyn arall o wellt, a'i daliodd.

Arhosodd yn ei unfan am hydoedd. Gorweddai ar ei ochr â'i fraich odano, heb symud gewyn. Yr oedd ei gorff yn gleisiau i gyd, ac yr oedd ei du mewn yn brifo. Yr oedd yn oer. Yr oedd yn rhynnu. Yr oedd yn ganol Mehefin ac yr oedd ei ddannedd yn clecian. Symudodd ei law yn araf i mewn i'w gôt i fwytho'i ochr, a thynnodd hi allan yn goch.

Ond nid oedd wedi gorffen dianc eto. Ceisiodd godi a rhoi ei bwysau ar ei freichiau, ond rhoes waedd pan frathodd y boen ef. Ni wyddai ymhle; yr oedd y boen ym mhobman. Disgynnodd yn ôl ar ei wyneb, a theimlodd y dŵr oer yn chwarae â'i geg. Ac yna clywodd sŵn y môr.

Efallai bod yna gwch ar y traeth. Nid oedd wedi meddwl am ddianc mewn cwch. Ond yn awr yr oedd meddwl yn brifo. Rywle o dano yr oedd y môr. Ond iddo gadw sŵn y môr ar y dde iddo bob gafael, byddai'n gwybod ei fod yn mynd ymlaen. Ymlaen oedd y ffordd iawn. Ymlaen oedd y ffordd i ddianc. Cododd ei ben eto ac ymwthiodd i fyny. Rhoes ei ddwylo odano a llwyddodd i hanner codi. Cafodd ei bengliniau odano a dechreuodd symud. Yr oedd yn dianc. Ac efallai ei bod yn well iddo fynd ar ei bedwar. Petai'n cerdded, efallai y byddai rhywun yn ei weld, ac yn mynd ag ef i garchar. Petai'n cerdded, byddai ei goes dde'n methu. Petai'n cerdded, byddai'n haws iddo syrthio eto.

Yr oedd arno eisiau bwyd. Yr oedd y boen y tu mewn iddo. Yr oedd yn siŵr mai yn ei stumog yr oedd y boen. Petai'n cael rhywbeth i'w roi yn ei stumog ... efallai bod ganddo glap o fferins yn ei boced. Gorffwysodd ar ei benelin chwith, a chododd ei law dde i'w rhoi yn ei boced i chwilio am y fferins, a llithrodd. Glaniodd ar ei gefn ar graig a thrawodd ei ben yn galed arni. Gorweddodd arni am hir, hir. Yr oedd dŵr yn rhedeg i lawr y graig ac yn ei olchi'n lân, a dechreuai fynd yn braf yno. Caeodd ei lygaid. Mor braf fyddai cael peidio â meddwl, nid meddwl am ddim, ond peidio â meddwl o gwbl.

Ond yr oedd rhywbeth o'i le. Ystyriodd. Dim ond iddo ddal i fynd ymlaen a chadw sŵn y môr ar y dde iddo, byddai'n iawn.

Gwyddai beth oedd o'i le. Yr oedd sŵn y môr ar yr ochr chwith iddo. Nid y ffordd honno oedd mynd debyg iawn. Nid y ffordd honno oedd gorwedd. Troes i godi ar ei bedwar, ac yr oedd ei gorff i gyd yn yr awyr.

Yr oedd pigyn o graig wedi mynd drwy ei gôt, ac ataliodd honno ei gwymp. Daeth ton, a'i godi, a'i adael. Daeth ton arall, a'i godi eto, a'i adael. Daeth ton arall. Curodd yn erbyn y graig, a chiliodd, gan foddi sŵn côt yn rhwygo. Nid oedd dim ond botwm a darn o frethyn i'r don nesaf chwarae â hwy, a chiliodd heb fynd i'r drafferth o'u cyffwrdd. Yna, daeth ton arall, gan gosi odanynt fel cosi brithyll, a daeth y brethyn a'r botwm yn rhydd o'r graig gan ddawnsio i ganlyn y don. Chwaraesant ar wyneb y môr am ysbaid, wrth ddrifftio'n hamddenol i ffwrdd o'r graig. Yna suddasant yn araf, gan adael y tonnau i chwarae â'r graig.

Tasgau

1. Dywedwch yn gryno, yn eich geiriau eich hun, beth sy'n digwydd yn y darn hwn.
2. Soniwch am wahanol deimladau Richard Jones yn y darn. Gallwch gyfeirio'n ôl at y drafodaeth ar y darn amdano yn y sied.
3. Sut mae iaith ac arddull yn cael eu defnyddio yn y darn i roi'r argraff o ddyn yn dianc? Gallwch sôn hefyd am grefft y darn olaf, sy'n disgrifio'r hyn sy'n digwydd iddo yn y diwedd.
4. Dychmygwch eich bod yn dianc rhag rhywun neu rywbeth ac ysgrifennwch ddarn byr yn disgrifio'r profiad.

Darllen Pellach

Cyfrolau eraill Alun Jones
Pan Ddaw'r Machlud (Gomer, 1981)
Oed Rhyw Addewid (Gomer, 1983)
Plentyn y Bwtias (Gomer, 1989)
Simdde yn y Gwyll (Gomer, 1992)

Rhai ymdriniaethau ag *Ac Yna Clywodd Sŵn y Môr*
Cyfansoddiadau a Beirniadaethau Eisteddfod Genedlaethol Caerdydd 1978, gol. W. Rhys Nicholas, tt. 95-6, 102-3. (Hirfaen oedd enw'r nofel yn wreiddiol).
Jane Edwards, *Y Faner*, 2 Tachwedd 1979
Gwynn ap Gwilym, *Barn*, Rhagfyr/Ionawr 1979/1980, t. 298
John Rowlands, *Barn*, Medi 1978, tt. 323-4
Dienw, *Llais Llyfrau*, Hydref/Gaeaf 1978, t.16
Allan James, *Barn,* Hydref 1987, tt. 408-10, a Thachwedd 1987, tt. 465-7

Deunydd am straeon ditectif Cymraeg
Dafydd Glyn Jones, 'Hen Lyfra Castia Mul', *Taliesin*, Gwanwyn 1991, tt. 64-75

Cyfweliadau gydag Alun Jones
John Rowlands, 'Holi Alun Jones', *Llais Llyfrau*, Haf 1981, tt. 4-5
Robert Rhys, 'Llenor Llŷn: Holi Alun Jones', *Barn*, Rhagfyr/Ionawr 1989/1990, tt. 4-9

Geirfa

tud. 35 ymwneud mwy – *to be more involved*

cyffiniau – *vicinity*

tud. 36 wystlon (< gwystlon) – *hostages*

hunandybus – *pretentious*

tud. 38 tor-cyfraith – *law-breaking*

gwasanaethau cudd – *secret service*

tud. 39 ffwrdd-â-hi – *casual*

ar fin – *about to*

Nghanolfan (< Canolfan) Gadw – *Remand Centre*

tud. 41 bob yn ail – *alternately*

tud. 42 gymryd (< cymryd arno) – *to pretend*

trawiad farwol – *fatal (heart) attack*

mae'r darnau'n dechrau disgyn i'w lle – *everything starts to fall into place*

dwy ddolen gyswllt – *two links*

tud. 44 cweir iawn – *real thrashing*

er rhyddhad i'w thad – *to her father's relief*

ei gorddi – *to trouble him*

tud. 45 front (< brwnt) – *dirty*

ar ei wyliadwriaeth – *on his guard*

tud. 46 fywyd (< bywyd) cefn gwlad – *country life*

bod dynol – *human being*

dal ati – *to carry on*

antur ryfedd – *strange mission*

tud. 47 dod i delerau – *to come to terms*

argoeli'n ddrwg – *to bode ill*

gwireddu ofnau pawb – *to realize everyone's fears*

adfer ei ffydd – *to restore his faith*

hunandosturiol – *self-pitying*

tud. 48 ymylol – *marginal*

gwladwr syml llyncu popeth – *a simple, gullible countryman*

llafn rasel – *razor-blade*

gorymateb – *to over-react*

gweld ei cholli – *to miss her*

gweinyddu cyfiawnder – *to administer justice*

tud. 49 yr union rai – *the very people*

cyfryngau – *media*

phwysigion (< pwysigion) y gyfraith – *grandees of the legal system*

dwrnai (< twrnai) – *lawyer*

godi (< codi) ei galon – *to lift his spirits (lit. to raise his heart)*

tud. 50 glòs (< clòs) – *tight-knit*

jarffyn – *swaggerer, one who has a high regard for himself*

hen sgriwan hyll – *ugly old hag (lit. screw)*

llarpad – *lout*

lletchwithdod – *awkwardness*

bod tai wedi eu codi – *that houses have been built*

bob sut – *haphazardly*

Damia las – *Damn it all*

I be aflwydd oedd eisiau codi tai ...? – *Why on earth did houses have to be built ...?*

tud. 51 'sgidiau sglein – *shiny shoes*

Cyn cloi – *Before we conclude*

Gwingai (< gwingo) – *He winced*

gymysgu'n (< cymysgu) glòs – *to mix closely*

tud. 52 lle gwellt, lle drama – *good-for-nothing place, sham place*

giwaid (< ciwed) – *mob*

car llusg – *sledge*

ddulas (< dulas) – *blue-black*

tud. 52 phigiadau (< pigiadau) – *shooting pains*

ymladdfa – *fight*

tud. 53 i'r aswy – *to the left*

[yn] bur serth – *quite steep*

wleb (< gwlyb)

Yr oedd madredd am ei gerdded – *He would be eaten by gangrene*

chwil – *dizzy*

yn bendramwnwgl – *headlong*

peidio â rowlio – *to stop rolling*

sypyn – *tuft*

tud. 54 ei du mewn – *his inside*

yr oedd ei ddannedd yn clecian – *his teeth were chattering*

fwytho (< mwytho) – *to stroke*

pan frathodd y boen ef – *when the pain shot through him*

Ond iddo... *If he could just ...*

bob gafael – *all the time*

ar ei bedwar – *on all fours*

pigyn o graig – *sharp rock*

Angharad Tomos

Angharad Tomos

3. ANGHARAD TOMOS

Yn Eisteddfod Genedlaethol Bro Delyn yn 1991, enillodd Angharad Tomos un o brif wobrau'r byd llenyddol Cymraeg – y Fedal Ryddiaith. Yr un wythnos, cafodd ei harestio am ei rhan yn un o ymgyrchoedd y mudiad protest, Cymdeithas yr Iaith Gymraeg. Cael ei gwobrwyo ar un llaw, a'i chosbi ar y llall. Ond nid oedd hynny'n sioc fawr i neb – roedd Angharad Tomos wedi gwneud enw iddi hi ei hun fel llenor cyn Eisteddfod Bro Delyn, ac roedd pobl hefyd yn gwybod amdani fel un a oedd yn fodlon torri'r gyfraith dros yr iaith. Mae'r ddau beth – ysgrifennu ac ymgyrchu – wedi bod yn rhan o'i bywyd er pan oedd yn ifanc iawn. Bu'r can chwistrellu a'r brwsh paent yn ei llaw mor aml ag y bu'r feiro a'r papur ysgrifennu.

Yn wir, mae'n anodd trafod Angharad Tomos yr awdur heb drafod Angharad Tomos y brotestwraig, gan fod ei phrofiadau ym mrwydr yr iaith wedi dylanwadu'n drwm ar ei gwaith creadigol, yn enwedig ei gwaith cynharaf. Ei llyfr cyntaf oedd *Hen Fyd Hurt* (1982), casgliad o ysgrifau a enillodd iddi Fedal Lenyddiaeth Eisteddfod yr Urdd. Prif gymeriad yr ysgrifau yw merch ifanc o'r enw Heulwen, ac mae'n amlwg fod llawer o'r awdur ei hun yn y cymeriad. Ar ôl bod yn y coleg, mae Heulwen ar y dôl, fel y bu Angharad Tomos hefyd am gyfnodau. Mae Heulwen nid yn unig yn ddi-waith, mae hi'n ddigyfeiriad hefyd – er ei bod yn clywed llais o'r gorffennol, llais Llywelyn, tywysog olaf Cymru, yn galw arni i wneud rhywbeth dros Gymru, nid yw'n gwybod beth i'w wneud. Mewn nodyn ar ddechrau ailargraffiad diweddar o'r llyfr, mae Angharad Tomos yn dweud ei bod hi ei hun wedi colli un cyfle da i brotestio yn erbyn y drefn Brydeinig, ac mae'n awgrymu mai euogrwydd oherwydd hynny a wnaeth iddi ysgrifennu'r llyfr.

Dyddiadur carchar oedd yr ail lyfr, *Yma o Hyd* (1985), wedi'i seilio ar brofiadau'r awdur ei hun fel un sydd wedi bod yn y carchar dros yr iaith nifer o weithiau. Er fod nifer o awduron wedi trafod brwydr yr iaith mewn nofelau a straeon, Angharad Tomos yw'r unig un hyd yma i gyhoeddi nofel ar ffurf dyddiadur yn seiliedig ar ei phrofiadau.

Yn y blynyddoedd diweddar, yn ogystal â nifer o lyfrau i blant, mae hi wedi cyhoeddi dwy nofel, gan ei phrofi ei hun yn un o'r awduron gorau sy'n ysgrifennu yn Gymraeg heddiw. Yn 1991 daeth *Si Hei Lwli*. Am y nofel hon yr enillodd yr awdur y wobr y cyfeiriwyd ati ar y dechrau, ac mae'n trafod henaint ac ieuenctid trwy edrych ar berthynas merch ifanc a'i hen fodryb. Yna yn 1994 cyhoeddwyd *Titrwm*, nofel farddonol iawn lle mae merch feichiog yn siarad gyda'r plentyn yn ei chroth. Yn *Titrwm*, mae'r awdur yn dod yn ôl at bwnc yr iaith a'r diwylliant Cymraeg, ond mewn ffordd lawer llai uniongyrchol nag yn y dyddiadur carchar sydd o dan sylw yma.

YMA O HYD
(Y Lolfa, 1985)

Mae *Yma o Hyd* yn un o'r llyfrau mwyaf gonest ac ysgytiol i gael ei gyhoeddi yn Gymraeg yn ddiweddar. Dyddiadur Cymraes ifanc yn y carchar ydyw, a'r cefndir yw brwydr yr iaith.

Cefndir

Wrth deithio o amgylch Cymru heddiw, mae'r iaith Gymraeg i'w gweld ar arwyddion ffordd ymhobman. Mae yna hefyd sianel deledu Gymraeg. Dri deg mlynedd yn ôl roedd hi'n stori wahanol. Yr adeg honno, dim ond Saesneg oedd ar nifer fawr o arwyddion, hynny yw, fersiynau Saesneg o enwau Cymraeg, a doedd dim llawer o Gymraeg ar y teledu. Y mudiad a newidiodd hyn i gyd oedd Cymdeithas yr Iaith Gymraeg, a gafodd ei sefydlu yn nechrau'r chwedegau.

'Tynged yr Iaith' – rhybudd Saunders Lewis
Tyfodd y syniad am fudiad i ymladd dros yr iaith o eiriau un Cymro amlwg ar y radio. Roedd Saunders Lewis (1893-1985) yn fardd, yn ddramodydd ac yn ysgolhaig. Roedd hefyd yn genedlaetholwr, ac yn un o sefydlwyr Plaid Cymru, sy'n ceisio cael hunanlywodraeth i Gymru. Yn 1936, roedd ef a dau genedlaetholwr arall wedi rhoi adeiladau yn Llŷn ar dân, fel protest ddramatig yn erbyn bwriad y llywodraeth i sefydlu Ysgol-Fomio ar y tir. Anfonwyd y tri i garchar, ac fe gollodd Saunders Lewis ei swydd fel darlithydd yng Ngholeg Prifysgol Cymru, Abertawe. Ond roedd yn dal i ysgrifennu pethau gwleidyddol, ac yn ysgrifennu llawer am Gymru a'r Gymraeg, a'r angen i amddiffyn yr iaith. A throi at bwnc yr iaith a wnaeth pan ofynnodd BBC Cymru iddo roi'r ddarlith radio flynyddol, yn 1962.

Yn y ddarlith, 'Tynged yr Iaith', roedd Saunders Lewis yn rhagweld y byddai'r Gymraeg yn marw erbyn dechrau'r ganrif nesaf pe na byddai rhywbeth yn cael ei wneud. Chwyldro oedd yr unig beth a allai ei hachub, meddai. Roedd yn herio siaradwyr Cymraeg i ddechrau mynnu eu hawl i ddefnyddio'r iaith ym mhob agwedd o fywyd, hyd yn oed os oedd hynny'n golygu torri'r gyfraith. Defnyddiodd deulu o Lanelli fel esiampl. Yn ystod y pumdegau roedd Eileen a Trefor Beasley wedi brwydro am flynyddoedd am bapur treth dwyieithog gan eu cyngor lleol, ac yn y diwedd, ar ôl sawl achos llys, wedi cael un. Rhybuddiodd Saunders Lewis na fyddai ymladd fel hyn yn hawdd; byddai'n aml yn golygu aberth bersonol, ond dyna'r pris yr oedd yn rhaid ei dalu er mwyn sicrhau dyfodol y Gymraeg.

Sefydlu Cymdeithas yr Iaith

Darlledwyd y ddarlith hon ym mis Chwefror 1962. Erbyn diwedd yr haf roedd criw bach o fyfyrwyr wedi ymateb i her Saunders Lewis trwy sefydlu Cymdeithas yr Iaith Gymraeg. Y nod oedd ennill *statws swyddogol i'r Gymraeg* ochr yn ochr â'r Saesneg ym mhob agwedd ar fywyd Cymru, trwy bwyso ar gyrff a chwmnïau i ddefnyddio'r iaith. Ond daeth yn amlwg erbyn diwedd y chwedegau nad oedd trafod a pherswadio yn ddigon bob amser; weithiau, roedd yn rhaid *torri'r gyfraith* cyn bod neb yn cymryd sylw. Arweiniodd hynny at wrthdaro mawr gyda'r heddlu. Yn ystod y chwedegau a'r saithdegau, tyfodd y Gymdeithas o fod yn griw bach o fyfyrwyr i fod yn fudiad protest cryf a oedd yn cael cefnogaeth nifer fawr o bobl o bob oed, o bob cefndir ac o bob rhan o Gymru.

Bu dwy ymgyrch arbennig o hir a chaled – a llwyddiannus, fel y soniwyd ar y dechrau. Un oedd yr ymgyrch i gael *arwyddion Cymraeg* ar y ffyrdd. Yn ystod y saithdegau, bu nifer fawr o bobl yn paentio, yn tynnu ac yn malu arwyddion Saesneg, a bu'n rhaid i rai fynd i'r carchar. Ar ôl dros ddeng mlynedd o ymgyrchu, fe gafwyd arwyddion Cymraeg. Yr ail oedd yr ymgyrch am *sianel deledu Gymraeg*. Roedd nifer fawr o bobl yn gwrthod talu am eu trwydded teledu, ac roedd yna weithredu mwy ymosodol hefyd, gyda phrotestwyr yn gwneud difrod i fastiau teledu, gan lwyddo weithiau i dorri ar draws rhaglenni. Unwaith eto, cafodd nifer fawr o bobl eu carcharu. Yn y diwedd, ildiodd y llywodraeth ar ôl i un dyn, Gwynfor Evans (cyn-Aelod Seneddol gyda Phlaid Cymru), fygwth ei lwgu ei hun i farwolaeth. Dechreuodd S4C ddarlledu yn 1982.

Y mudiad heddiw

Erbyn heddiw mae'r mudiad wedi newid. Mae'n fwy ffurfiol a phroffesiynol, gyda rhai pobl yn gweithio'n llawn amser iddo. Mae'n gwneud mwy o waith ymchwil ac yn cyhoeddi dogfennau. Nid yw'n fudiad mor boblogaidd ag a fu ar un adeg, ac nid yw'n cael cymaint o sylw. Er hynny, mae criw bach penderfynol yn dal i ymladd y frwydr i godi statws yr iaith, gan brofi llwyddiant a methiant. Y siom fwyaf yn ddiweddar fu cyhoeddi Deddf Iaith 1991, deddf a oedd yn llawer rhy wan yng ngolwg y Gymdeithas – maen nhw'n dal i bwyso am un gryfach. Bu'r ymgyrch i gael mwy o addysg Gymraeg yn fwy llwyddiannus. Ond y bygythiad mwyaf i'r iaith yn ystod y blynyddoedd diwethaf fu'r mewnlifiad mawr o Saeson sydd wedi symud i fyw mewn ardaloedd Cymraeg, ac mae'r Gymdeithas wedi bod yn galw am reolau cynllunio tynnach i warchod iaith a diwylliant yr ardaloedd hyn. Mae'r frwydr, felly, yn mynd yn ei blaen. Mae un peth yn sicr – heb y Gymdeithas, byddai statws yr iaith heddiw yn llawer is.

Yr awdur a'r Gymdeithas

Pedair oed oedd Angharad Tomos pan sefydlwyd Cymdeithas yr Iaith, ac roedd hi'n dal yn yr ysgol yn ystod yr ymgyrchu mawr cynnar. Erbyn diwedd y saithdegau, fodd bynnag, roedd hi'n un o'r aelodau mwyaf blaenllaw, ac er iddi gael ei derbyn i Goleg Prifysgol Cymru, Aberystwyth, gadawodd ar ôl blwyddyn i weithio fel ysgrifennydd i'r Gymdeithas. Yn ddiweddarach, aeth yn ôl i'r coleg, i Fangor y tro hwn, ond roedd yn parhau i weithredu gyda'r Gymdeithas. Chwaraeodd ran yn yr ymgyrch arwyddion a'r ymgyrch am sianel deledu a bu yn y carchar nifer o weithiau. Yn ôl nodyn ar ddechrau *Yma o Hyd* mae'r llyfr wedi'i seilio ar ei phrofiadau personol mewn sawl carchar gwahanol, gan gynnwys Risley a Holloway (does dim carchar merched yng Nghymru) ac mae'n amlwg fod llawer iawn ohoni hi ei hun yn Blodeuwedd, sy'n cadw'r dyddiadur. Mae'r cefndir hefyd yn real; mae yma gyfeiriadau at etholiadau cyffredinol, at brotest Comin Greenham, at ddarlith Saunders Lewis ac, wrth gwrs, at y Gymdeithas a'i hymgyrchoedd.

Y teitl

Mae'r teitl yn arwyddocaol. 'Yma o Hyd' yw teitl un o ganeuon enwocaf y mudiad cenedlaethol, cân sy'n cael ei chanu gan un sydd wedi chwarae rhan fawr ym mrwydr yr iaith. Daeth **Dafydd Iwan** ('Alun Bach' yn y dyddiadur) yn enwog yng Nghymru yn y chwedegau fel canwr caneuon protest, ac fel ymgyrchydd a fu yn y carchar yn 1970. Cân optimistaidd yw 'Yma o Hyd', yn dathlu'r ffaith fod y Cymry Cymraeg yn dal yma heddiw. Mae optimistiaeth a hyder y gân i'w cael weithiau yn llyfr Angharad Tomos hefyd, ond ar adegau eraill rydym yn cael golwg arall, negyddol ar y geiriau 'Yma o Hyd', wrth i Blodeuwedd ddisgrifio'r profiad diflas o weld iaith yn marw'n araf.

Plot a Saernïaeth

Mae'r dyddiadur yn cofnodi ugain diwrnod ym mis Hydref a Thachwedd 1983, gyda Blodeuwedd newydd gyrraedd y carchar i ddechrau ar ddedfryd o ddau fis. Dyna'r presennol, ond mae'r dyddiadur yn gwneud mwy na chofnodi beth sy'n digwydd o ddydd i ddydd; mae'n dilyn meddyliau Blodeuwedd yn ôl i'r gorffennol ac ymlaen i'r dyfodol. Oherwydd fod y llyfr yn neidio fel hyn yn ôl a blaen rhwng gwahanol amseroedd, ni allwn sôn am stori daclus gyda dechrau, canol a diwedd. Yn lle hynny cawn argraffiadau, teimladau, syniadau ac atgofion ar draws ei gilydd, yn ogystal â darnau o ddeialog.

Ac eto, allan o'r meddyliau hyn, mae stori'n tyfu, sef stori Blodeuwedd ei hun o'i phlentyndod hyd at y presennol. Oherwydd hynny, mae'r llyfr wedi cael ei alw'n nofel, er ei fod ar ffurf dyddiadur. Yn sicr, mae yma wybodaeth yn cael ei chyflwyno mewn trefn arbennig er mwyn cynnal diddordeb y darllenydd. Mae yma hefyd adeiladu tuag at uchafbwyntiau yng ngwahanol rannau'r dyddiadur, ac at un uchafbwynt mawr ar y diwedd.

Mae modd rhannu *Yma o Hyd* yn dair rhan, wrth i Blodeuwedd gael ei symud o gell i gell.

Hydref 27 – Tachwedd 6

Presennol: Ar ddechrau'r dyddiadur, mae Blodeuwedd yn y tŷ bach, yn ysgrifennu ar bapur tŷ bach, gan nad oes ganddi unrhyw bapur arall. (Erbyn yr ail ddiwrnod mae hi wedi cael llyfr ysgrifennu). Mae hi newydd gyrraedd y carchar a chawn ein cyflwyno i Betty, sy'n rhannu cell gyda hi. Yn ystod y dyddiau nesaf, cawn ddisgrifiad o fywyd bob dydd Blodeuwedd yn y carchar – gwaith glanhau, mynd i'r capel, sesiwn ymarfer a sesiwn gymdeithasu. Mae tensiwn yn datblygu ym mherthynas Blodeuwedd a Betty, a ffrae fawr rhwng y ddwy yw uchafbwynt y rhan yma o'r dyddiadur.

Gorffennol diweddar: Mae meddyliau Blodeuwedd hefyd yn mynd â ni'n ôl i'r gorffennol diweddar. Cawn wybod ei bod hi wedi bod yn y carchar hwn o'r blaen, lai na mis yn ôl, ond ei bod wedi cael ei rhyddhau, am ryw reswm, ar ôl dau ddiwrnod. Roedd hi yma oherwydd ei rhan yn un o ymgyrchoedd Cymdeithas yr Iaith, ond mae'r carchariad presennol yn wahanol i bob carchariad yn y gorffennol. Y tro hwn, mae hi yn y carchar ar ôl torri'r gyfraith ar ei phen ei hun, ac nid yn enw'r Gymdeithas. Fel y cawn wybod wrth i rai o swyddogion y carchar ei holi, ei throsedd oedd torri i mewn i siop a gwneud llanast mawr yno, er nad oedd wedi dwyn dim. Nid ydym yn gwybod eto pam y gwnaeth hyn.

Gorffennol pellach: Mewn darnau yma ac acw, cawn olwg ar gyfnodau cynharach ym mywyd Blodeuwedd – ei phlentyndod, ei dyddiau ysgol a'i dyddiau coleg. Yn y coleg y dechreuodd hi fod yn weithgar gyda'r Gymdeithas. Mae'n disgrifio'r profiad o weithredu am y tro cyntaf dros yr iaith, trwy dynnu arwydd ffordd Saesneg, a phrofiad arall a oedd yn rhan o'r ymgyrch am sianel deledu Gymraeg. Felly rydym yn dechrau adeiladu darlun o gefndir Blodeuwedd, gan gynnwys hanes ei theulu a'i ffrindiau.

Tachwedd 7 – 14

Presennol: Ar ôl y ffrae gyda Betty, mae Blodeuwedd wedi cael ei symud i gell arall, felly dyma ddechrau cyfnod newydd. Y tro hwn mae Blodeuwedd yn rhannu cell gyda merch o'r enw Kathleen (yr ydym eisoes wedi'i chyfarfod yn y rhan gyntaf). Cyn bo hir, fel yn achos Blodeuwedd a Betty, mae tensiwn yn codi rhwng y ddwy ac mae hynny'n arwain at uchafbwynt arall. Disgrifir rhagor o fywyd bob dydd y carchar; er enghraifft, yn ystod y sesiwn ymarfer mae Blodeuwedd yn cael golwg ar rannau eraill o'r carchar – yr ysbyty a'r rhan lle mae'r carcharorion sydd â phroblemau seicolegol yn byw. Ceir gwrthdaro pellach wrth i Blodeuwedd gael ei chosbi am wneud dol yn lle trwsio dillad yn y *Workroom*.

Gorffennol diweddar/pellach: Cawn fwy o hanes teulu a ffrindiau, ac mae derbyn llythyr gan ei mam hefyd yn arwain meddwl Blodeuwedd yn ôl. Mae'r darn hwn yn cyflwyno gwybodaeth bwysig – sef mai rhieni Blodeuwedd a'i tynnodd allan o'r carchar y tro diwethaf, trwy dalu ei dirwy. Roedd y ffaith eu bod wedi ymyrryd wedi gwylltio Blodeuwedd, a dyna un o'r pethau a oedd wedi arwain at ei gweithred ddiweddaraf. Yma cawn ddisgrifiad ohoni'n torri i mewn i'r siop, siop fwyd, ac yn creu llanast yno. Mae'r disgrifiad hwn yn ffurfio rhyw fath o uchafbwynt i'r atgofion, ac rydym yn dechrau deall cefndir y weithred. Mae yma hefyd sôn am orffennol pellach – disgrifiad o etholiad cyffredinol pan oedd Blodeuwedd yn yr ysgol, a'r gorfoledd yn dilyn llwyddiant Plaid Cymru.

Tachwedd 15 – 16

Presennol: Mae Blodeuwedd erbyn hyn wedi ei symud eto, i un o'r *strip cells*, ar ei phen ei hun, fel cosb am redeg yn wyllt trwy'r carchar. Mae hanes hynny'n uchafbwynt arall yn stori'r presennol. Fel rhan o'r gosb, mae'r awdurdodau wedi mynd â'i llyfr ysgrifennu oddi arni, felly mae'n gorfod parhau â'r dyddiadur hebddo, yn ei meddwl. Cawn ddisgrifiad o'r gell, lle nad oes modd dweud y gwahaniaeth rhwng nos a dydd am nad oes ffenestr, ac am fod y *padding* ar y waliau yn cau allan bob sŵn.

Gorffennol pell/diweddar: Yn ei hunigrwydd, mae meddyliau Blodeuwedd yn troi eto at y gorffennol, ac at y ffordd y daeth hi'n ymgyrchydd dros yr iaith.

Presennol/dyfodol: Mae Blodeuwedd wedi cyrraedd stad o feddwl gymysglyd iawn, wrth feddwl amdani hi ei hun ac am Gymru a'r iaith, ac yma rydym yn cyrraedd rhyw fath o uchafbwynt emosiynol. Mae meddwl am gael ei rhyddhau o'r carchar yn codi braw arni gan nad yw'n gwybod beth i'w wneud â'i bywyd. Mae'n disgrifio breuddwyd a gafodd lle roedd hi'n ceisio rhyddhau'r carcharorion i gyd, a'r rheiny'n gwrthod dianc am nad oedden nhw'n deall Cymraeg. Y bore ar ôl y freuddwyd, yn ei hunigrwydd, yr unig beth sydd ganddi i'w wneud yw dychmygu, ac mae'n cael rhyw fath o weledigaeth. Yn ei dychymyg, mae'n mynd adref i'r 'Tŷ'. Daw'n amlwg fod y Tŷ yn symbol o'i holl orffennol, o'i phlentyndod hyd at ddyddiau protestio. Erbyn y diwedd mae hefyd yn symbol o Gymru. Mae'r dyddiadur yn gorffen gyda'r weledigaeth hon, lle mae'r Cymry Cymraeg yn wynebu'r diwedd – gweledigaeth sy'n ffurfio uchafbwynt i'r llyfr cyfan.

Cymeriadau

Blodeuwedd

Mae'r dyddiadur hwn yn bortread byw iawn o Gymraes ifanc yn yr wythdegau. Yn ogystal â bod yn ffordd o ladd amser, cawn yr argraff fod cadw dyddiadur yn help i Blodeuwedd roi trefn ar feddyliau cymysg. Wrth iddi ddadansoddi ei gweithredoedd a'i theimladau mewn ffordd onest ac agored, cawn ninnau ddod i'w hadnabod, a thrwy'r portread fe gawn ddarlun diddorol o seicoleg y gweithredwr.

Mae ei chefndir dosbarth canol, y ffaith ei bod wedi cael addysg a'r ffaith ei bod yn siarad Cymraeg yn gosod Blodeuwedd ar wahân i'r carcharorion eraill. Mae hi hefyd wedi torri'r gyfraith am resymau gwahanol. Er ei bod yn hoffi meddwl ei bod yn gallu cymysgu gyda phob math o bobl, mae'r gwahaniaeth cefndir rhyngddi hi a'r lleill yn dod yn amlwg yn aml. Yn achos ei pherthynas gyda Betty, mae ffrae fach yn datblygu'n ffrae fwy o lawer, gyda Blodeuwedd yn ymosod nid yn unig ar Betty ond ar Loegr fel gwlad a'r Saeson fel cenedl. Fel y dywed Blodeuwedd ei hun wedyn, daw ei holl deimladau chwerw allan gyda'i gilydd. Yn ddiweddarach, mae'n teimlo'n euog am feddwl mewn ffordd hiliol, Ffasgaidd, ond wrth ysgrifennu yn ei dyddiadur y noson honno, mae'n dal i gasáu Betty a'i hagwedd:

Does 'na ddim byd gwaeth na gast o Saesnes yn trio rhoi Cymraes yn ei lle. A gast ydi honna os bu un erioed. Gast fudr Saesneg. Mam bach, dwi'n gobeithio na fydd neb yn darllan hwn. Faswn i yn Nurenberg cyn i mi droi. Ond dwi'n teimlo'n well o gael ei sgwennu fo i lawr. Mae'n well ei arllwys o ar bapur na'i arllwys o eto arni hi. (57)

Dyma enghraifft dda o'r math o siarad plaen, gonest sydd yn y dyddiadur, a chawn ragor ohono wrth i Blodeuwedd geisio deall beth sydd wedi ei gwneud hi'n ymgyrchwraig. Daw rhai o'r rhesymau'n glir wrth iddi edrych yn ôl i'r gorffennol.

Mae Blodeuwedd yn disgrifio ei **phlentyndod** fel amser braf, hapus, pan oedd hi'n 'normal', ei meddwl yn 'llawn o bresantau Dolig, hufen iâ a doliau' a'r iaith Gymraeg yn rhan naturiol o'i bywyd. Ond yn yr **ysgol uwchradd**, roedd hi wedi dechrau dod yn ymwybodol o ddiffyg statws y Gymraeg. Dyma pryd yr oedd hi a'i ffrind, Brenda, wedi gwneud eu safiad cyntaf dros y Gymraeg, trwy wrthod mynd i un o wasanaethau Saesneg yr ysgol. Ond roedd hwn yn gyfnod gobeithiol, gyda llawenydd mawr a dathlu pan enillodd Plaid Cymru dair sedd mewn etholiad cyffredinol, a gobaith am senedd i Gymru. Ar ôl hynny, roedd mynd i'r **coleg** yn siom fawr. Er fod y coleg yng Nghymru, roedd llawer mwy o Saeson yno nag o Gymry, a doedd dim parch at y Gymraeg. Yn ystod y cyfnod yma dechreuodd Blodeuwedd ymgyrchu gyda Chymdeithas yr Iaith, a chael y wefr o weithredu am y tro cyntaf. Cyn hynny, arwyr i'w hedmygu o bell oedd pobl a oedd yn y carchar dros yr iaith. Ond yn awr, roedd rhai o'i ffrindiau yn mynd i garchar ac yn y diwedd, roedd tro Blodeuwedd ei hun wedi dod.

Erbyn amser ysgrifennu'r dyddiadur, mae'n hollol gyfarwydd â'r patrwm – gweithredu, cael ei harestio, achos llys, carchar. Mae'n derbyn y peth fel rhan o'r gwaith o ymladd dros yr iaith. Mae'n cyfaddef na fyddai hi byth yn torri'r gyfraith petai hi'n meddwl gormod cyn gweithredu. Fe fyddai meddwl am y canlyniadau yn torri ei chalon cyn dechrau. Mae'n rhaid edrych y tu hwnt i'r aberth bersonol a chofio am y nod o achub y Gymraeg. Dyna sut mae Blodeuwedd yn gallu dioddef carchar.

Mae hyn i gyd yn gwneud i Blodeuwedd swnio fel merch galed a phenderfynol iawn. Ond mae rhannau eraill o'r dyddiadur yn dangos ochr arall i'w phersonoliaeth. Mae'r carchariad hwn wedi ei gwneud yn ansicr am y tro cyntaf. Un rheswm am hynny yw'r ffaith ei bod yma ar ei phen ei hun; yn y gorffennol mae hi fel arfer wedi cael cwmni aelodau eraill o Gymdeithas yr Iaith yn y carchar. Y tro hwn, ar ôl gweithredu ar ei phen ei hun, mae hi fel petai wedi ei thorri i ffwrdd oddi wrth bawb. Ond mae rheswm dyfnach am ei hansicrwydd hefyd, sef ei bod wedi dechrau meddwl o ddifrif am effaith ei ffordd o fyw ar ei rhieni. Dyma bwnc y mae'n dychwelyd ato o hyd ac o hyd.

Y tro diwethaf iddi fod yn y carchar, roedd rhieni Blodeuwedd wedi talu ei dirwy er mwyn ei chael yn rhydd, a chawn wybod fod Blodeuwedd yn flin iawn am hynny. Mewn darn gonest iawn ar ddechrau'r dyddiadur, mae'n dweud pam. Wrth gael ei charcharu dro ar ôl tro, mae'n ymddangos ei bod wedi dechrau mynd yn hunangyfiawn a dechrau meddwl amdani hi ei hun fel 'Arwr' a oedd yn chwarae rôl bwysig iawn yn y gwaith o achub yr iaith:

> Fi oedd Gobaith Mawr y Genedl. Fi oedd Yr Arwr. Fi oedd yr Un yn Sefyll yn y Bwlch. Ew, ron i'n grêt. Wedi mynd i Garchar Dros yr Iaith. Yn y Gell Fawr Ddu Ar Fy Mhen Fy Hun. (10)

Gwneud hwyl am ei phen ei hun y mae Blodeuwedd yma, gan ddefnyddio ystrydebau a phriflythrennau i bwysleisio pa mor bwysig roedd hi'n teimlo. Mae'n mynd ymlaen i sôn am yr holl sylw a chyhoeddusrwydd a gafodd hi a'i chyd-brotestwyr, gan gynnwys llythyrau gan bobl yng Nghymru yn eu canmol am fod yn ddewr. Yn awr, wrth edrych yn ôl, mae Blodeuwedd yn cyfaddef ei bod yn mwynhau'r holl sylw ac yn mwynhau gwneud i bobl deimlo'n euog am beidio gwneud mwy eu hunain. 'Ew, ron i'n joio'r gêm,' meddai.

Ond wrth gwrs, roedd ymyrraeth ei rhieni wedi rhoi stop ar y gêm. Pan ddaeth ei rhieni i fynd â hi adref o'r carchar, doedd hi ddim yn teimlo fel Arwr. Roedd hi'n casáu croeso'r teulu am ei fod yn chwalu ei delwedd ramantus ohoni hi ei hun:

> On i ddim lot o rebel efo pei gartre fawr o 'mlaen a tharten afal i ddilyn. (15)

Roedd mynd yn ôl i drefn normal bywyd y cartref yn ei diflasu'n llwyr, a dyna pryd y torrodd i mewn i'r siop. Mae'n ymddangos mai un o'i rhesymau dros wneud hynny oedd er mwyn dial ar ei rhieni am geisio ei rhwystro rhag gweithredu.

Yn y pen draw, fodd bynnag, mae'n amlwg fod Blodeuwedd yn caru ei rhieni; mae'r dyddiadur yn llawn o atgofion da am fywyd teuluol. A dyna yw ei dilema fawr – mae hi am ddal ati i weithredu, ond mae'n poeni am frifo ei rhieni. Erbyn diwedd y dyddiadur, mae'r ddilema hon yn ei 'rhwygo i lawr y canol', a'r boen yn cael ei disgrifio fel un gorfforol. Ar un llaw, mae'r awydd i 'wneud rhywbeth dros Gymru' yn llosgi ynddi, ond ar y llaw arall nid yw'n gallu dioddef gweld pryder ei rhieni yn eu gwneud nhw'n hen o flaen eu hamser.

Wrth feddwl am gael ei rhyddhau a mynd yn ôl i Gymru, mae rhywbeth mawr arall hefyd yn poeni Blodeuwedd, sef gorfod wynebu realiti sefyllfa'r iaith. Ofn mwyaf Blodeuwedd yw gorfod gwylio'r Gymraeg yn marw'n araf, gorfod 'byw trwy'r broses'. Byddai'n well ganddi fod wedi cael ei geni ynghynt, neu'n hwyrach, meddai – unrhyw adeg ond y presennol. Weithiau mae hyd yn oed yn dymuno i fom syrthio ar Gymru, er mwyn cyflymu'r diwedd. Ond gyda'r iaith rhwng byw a marw, mae'n rhaid dal ati i geisio ei hachub. I Blodeuwedd, yn y pen draw, does dim dewis. Mae ei chydwybod yn mynnu ei bod hi'n parhau i ymladd. Brwydr yr iaith sy'n rhoi ystyr i'w bywyd.

Cymeriadau eraill

Er fod rheol yn erbyn ysgrifennu am garcharorion eraill, mae dyddiadur Blodeuwedd (mewn iaith sy'n ddieithr i swyddogion y carchar) yn llawn argraffiadau o'r bobl o'i chwmpas. Ar y cyfan, sylwi a dyfalu y mae hi, heb gael cyfle i ddod i adnabod neb yn iawn. Brasluniau a gawn ohonyn nhw felly, ond rhai byw iawn er hynny.

Betty'r 'Brit'

Mae Betty, gwraig yn ei deugeiniau, yn cynrychioli popeth y mae Blodeuwedd, fel cenedlaetholwraig, yn brwydro yn ei erbyn, hynny yw y drefn Brydeinig a'i holl symbolau:

> ... Brit ydi Betty. Ia, Brit o'r Brits. Coronation Street, Jiwbilî, y Cwîn, Alf Garnett, Falklands, Union Jack, Princess Di – y cwbwl. (33)

Does ganddi ddim syniad am Gymru a'r Gymraeg, a hynny yn y pen draw sy'n achosi'r ffrae rhwng y ddwy ferch. Daw'r gwahaniaeth rhwng agweddau'r ddwy yn amlwg mewn golygfa arall hefyd, wrth iddyn nhw drafod y merched sy'n gwersylla yng Nghomin Greenham fel protest yn erbyn dod â Thaflegrau *Cruise* i Brydain. Mae Blodeuwedd yn cytuno ac yn cydymdeimlo â'r merched, ond i Betty '*silly buggers*' ydyn nhw, yn 'fudur' ac 'ar drygs'.

Kathleen, yr 'Hogan Dew'

Ar ôl i Betty gwyno amdani, mae Blodeuwedd yn cael ei symud at ferch arall, Kathleen. Merch fawr, dew, tuag ugain oed, yw Kathleen, a phawb yn cadw draw oddi wrthi gan ddweud ei bod hi'n drewi. Cyn dechrau rhannu cell gyda hi, roedd gan Blodeuwedd biti drosti, ac ar ôl symud i mewn ati mae'n gwneud ei gorau i ddod i'w hadnabod. Ond nid yw Kathleen eisiau siarad o gwbl. Un noson mae Blodeuwedd yn ei chlywed yn crio yn ei gwely, ond mae'r Saesnes yn dal i wrthod siarad â hi. Trwyddi hi mae Blodeuwedd yn dysgu un o wersi mawr y carchar, sef fod pawb yn y fan yma ar ei ben ei hun, gyda'i broblemau ei hun.

Y 'Sgriws'

Os nad yw'r carcharorion yn deall ei gilydd, yna yn sicr nid yw'r swyddogion a'r carcharorion yn deall ei gilydd. 'Sgriw' yw'r gair poblogaidd am swyddog carchar, a dyna sut mae Blodeuwedd, fel arfer, yn cyfeirio atyn nhw. Does gan y ddwy ochr ddim parch o gwbl at ei gilydd. Mae llawer o'r sgriws yn trin y carcharorion fel petaen nhw'n blant. Yn eu tro mae'r carcharorion yn manteisio ar bob cyfle i dwyllo'r sgriws.

Mae'r rhan fwyaf o'r swyddogion yn methu deall Blodeuwedd o gwbl. Dydyn nhw ddim yn deall beth mae rhywun dosbarth canol fel hi, sydd wedi cael addysg, yn ei wneud yn y carchar. Niwsans yw rhywun fel hi – dyna agwedd y swyddog sy'n dadbacio'r parsel dillad sydd wedi dod i Blodeuwedd gan ei mam. Pan ofynna Blodeuwedd am gael cadw'r papur ysgrifennu sydd yn y parsel, mae'r swyddog yn troi'n flin:

> "Dewiswch eich dillad ac ewch ... Dan ni 'di cael hen ddigon o drafferth efo chi fel mae hi. Rhwng llythyrau *foreign* a phobl yn ffonio a phapurau newydd a phob dim – dach chi'n cael ffafriaeth fel mae hi." (46)

Wrth alw'r Gymraeg yn iaith '*foreign*', mae'r swyddog yn dangos dirmyg tuag at Blodeuwedd a'i chenedl.

Yr un mwyaf nawddoglyd ei agwedd yw **gweinidog** y carchar. Mae Blodeuwedd wedi cyfarfod hwn o'r blaen, y tro diwethaf iddi fod i mewn, a'i gyngor iddi y tro hwnnw oedd priodi a chael plant. Mae ei gweld hi i mewn eto yn sioc iddo – mae'n methu credu bod merch barchus fel hi wedi torri i mewn i siop. Mae eisiau gwybod pam iddi wneud y fath beth, a Blodeuwedd yn ateb trwy ddweud iddi fethu cael bachgen neis i'w briodi. Nid yw'r gweinidog yn gweld y jôc. Yr unig beth sydd ganddo i'w ddweud yw fod rhywun wedi 'gwneud stomp llwyr' o feddwl Blodeuwedd, wedi 'ei lenwi fo efo casineb'. Does ganddo ddim rhagor o amser iddi. Does arno ddim eisiau deall.

Teulu a ffrindiau

Er na chawn eu cyfarfod, trwy feddyliau Blodeuwedd fe gawn olwg ar rai o'r bobl bwysicaf yn ei bywyd.

Fel yr ydym wedi gweld, mae Blodeuwedd yn meddwl llawer am ei **rhieni**. Cawn ddarlun ohonyn nhw fel tad a mam cariadus sydd wedi rhoi magwraeth dda a hapus i Blodeuwedd a'i chwiorydd. Maen nhw'n cefnogi Cymdeithas yr Iaith, ond yn ei chael hi'n anodd derbyn fod Blodeuwedd yn dal i dorri'r gyfraith a mynd i'r carchar ar ôl gadael y coleg. Maen nhw'n poeni ei bod hi'n peryglu ei dyfodol a'i siawns o gael gwaith. Eu pryder amdani a wnaeth iddyn nhw dalu ei dirwy y tro diwethaf iddi fod yn y carchar.

Mae Blodeuwedd yn sôn tipyn am **Dewi**, sy'n agos iawn ati, er nad yw'n gariad iddi 'yn yr ystyr arferol'. Nid yw Dewi, sy'n Farcsydd, yn un o griw'r Gymdeithas, ac mae ganddo farn wahanol i Blodeuwedd am bopeth, ond mae'r ddau wrth eu bodd yn trafod ac yn dadlau. Mae yma awgrym fod Blodeuwedd eisiau perthynas ddyfnach ac mae hi'n hiraethu amdano yn y carchar.

Ffrind mawr arall i Blodeuwedd ers dyddiau ysgol, ac un o'i chyd-aelodau yn y Gymdeithas, yw **Brenda**. Mae'n cael ei disgrifio fel merch fentrus, fywiog a llawn hwyl, a bu yn y carchar lawer gwaith. Ond y tro diwethaf iddi fod yno, fe ddigwyddodd rhywbeth iddi, a daeth allan yn ferch wahanol, wedi colli yr awydd i frwydro. I Blodeuwedd, mae tynged Brenda'n rhybudd o'r hyn a allai ddigwydd iddi hi ei hun, ac mae hynny'n codi ofn mawr arni.

Themâu

Cymreictod

Rydym eisoes wedi trafod y dyddiadur hwn fel portread o Blodeuwedd ei hun, ond mae'r llyfr hefyd yn cynnig portread o genedl. Er cymaint y mae Blodeuwedd yn caru Cymru a'r iaith, mae'n casáu ambell beth sydd, yn ei barn hi, yn rhan o seicoleg y genedl.

Mae hi'n gweld y Cymry fel cenedl sy'n llawer rhy ddof ac ofnus. Ar y Cymry eu hunain y mae llawer o'r bai am sefyllfa'r wlad a'r iaith heddiw – dyna neges Blodeuwedd yn aml iawn. Un peth sy'n ei gwylltio yw obsesiwn cenedlaetholwyr heddiw gyda 'bod yn adeiladol', hynny yw gweithio dros yr iaith mewn ffyrdd positif, fel sefydlu siopau a busnesau Cymraeg. Ym marn Blodeuwedd, twyllo eu hunain y mae'r bobl sy'n credu bod hyn yn mynd i fod yn ddigon i achub yr iaith. Mae hi'n galw am weithredu llawer mwy radical ac ymosodol:

> Bod yn adeiladol, myn coblyn – *cosmetic job* a dim arall ydi hynna. Y peth mwya adeiladol all Cymro ei wneud ydi malu'r drefn Brydeinig. (62)

Tua diwedd y dyddiadur, mae Blodeuwedd yn teimlo'n isel iawn wrth feddwl ei bod hi ei hun erbyn hyn yn rhy ofnus i frwydro. Ar ôl yr helynt yn y *Workroom*, a gorfod sefyll ar ei thraed trwy'r prynhawn, mae hi'n gorfod mynd i weld y *Governor*. Mae'n gwybod y bydd yn cael pregeth arall gan honno, ac mae'n ei chasáu ei hun am aros yno'n dawel i ddisgwyl ei chosb. Mae'n gweld ei hun fel 'sombi', fel 'oen bach yn disgwyl tu allan i'r lladd-dy' – ac fel Cymraes nodweddiadol. Dyna pryd y mae hi'n penderfynu rhedeg i lawr y coridor, fel petai hi'n ceisio dianc rhagddi hi ei hun a rhag Cymru, yn ogystal â dianc o'r carchar.

Ar adegau fel hyn mae Blodeuwedd yn hollol ddiobaith ynglŷn â dyfodol Cymru a'r iaith. Ond beth yw ystyr gweledigaeth Blodeuwedd ar y diwedd? Ai gobaith ynteu anobaith sydd yma? Yn y 'Tŷ', sy'n wag ac yn dywyll, mae Blodeuwedd yn chwilio am ei phobl ei hun, ei theulu, ei ffrindiau, ei chyd-Gymry. Mae'n eu gweld o'r diwedd, yn cuddio o dan fwrdd, gyda tharpolin du fel rhyw fath o babell fawr drostyn nhw. Erbyn hynny, mae yna sŵn curo mawr ar y drws – mae'n amlwg fod rhywun yn ceisio dod i mewn. Er fod y bobl yn y 'babell' yn amlwg yn gwybod am y perygl, maen nhw'n gwrando ar 'Alun Bach' yn canu, ac yna'n dechrau canu eu hunain. Pan ddaw clec fawr, sŵn gwydr yn torri a sŵn traed yn rhuthro, mae'n amlwg eu bod 'Nhw', y bobl oedd wrth y drws (sef y Saeson, mae'n debyg), wedi torri i mewn. Ymateb y rhai yn y babell, er cymaint yw eu hofn, yw cerdded allan i wynebu'r perygl.

Gweledigaeth ddramatig o ddyfodol Cymru sydd yma. Y Tŷ yw Cymru, a'r genedl Gymreig yw'r bobl sy'n cuddio i ddechrau, cyn penderfynu wynebu realiti. Ai dyma'r diwedd i'r Cymry felly? Mae'n anodd bod yn siŵr wrth ddarllen geiriau olaf Blodeuwedd:

> Dan ni fel tasan ni'n cerdded am hydoedd at ein tranc, a fedra i feddwl am ddim. Meddwl am ddim, heblaw ein bod ni yma o hyd. Yma o hyd. Yma – o hyd. (128)

Geiriau cân Alun Bach sy'n mynd trwy feddwl Blodeuwedd, ond fel y gwelsom yn gynharach, mae dwy ffordd o edrych ar y geiriau. Mae modd eu dweud yn ddigalon, fel eu bod yn cyfleu diflastod y profiad o fod yn dal yma, neu mae modd eu dweud mewn ffordd bendant, bositif. Mae'r saib ar ôl yr 'Yma' y trydydd tro yn ein gorfodi ni i roi'r pwyslais ar y gair hwnnw – hynny yw, ar y ffaith fod y genedl yn dal yma. Felly, er mor ddu yw'r darlun, mae yma awgrym bach o obaith.

Pam nad oes unrhyw beth yn y dyddiadur o dan y diwrnod wedyn (*Iau, Tachwedd 17*)? Mae'r awdur yn gadael y dirgelwch hwnnw i'r darllenydd. Ond efallai y gallwn awgrymu ateb. Ar ôl cael y weledigaeth uchod, efallai fod gan Blodeuwedd bethau pwysicach i'w gwneud nag ysgrifennu mewn dyddiadur. Efallai ei bod hi wrthi'n barod yn meddwl am ei cham nesaf ym mrwydr yr iaith.

Anghyfiawnder cyffredinol

Er fod pwyslais y dyddiadur ar frwydr yr iaith, mae Blodeuwedd yn ymwybodol iawn o anghyfiawnder yn gyffredinol. Pan aeth i'r ysgol uwchradd, mae'n cofio sylwi ar blant tlawd yn yr ysgol, cofio dysgu am ryfeloedd, a dychryn wrth weld hen ffilm am yr ail ryfel byd yn dangos miloedd o gyrff ar ben ei gilydd mewn gwersyll rhyfel. Mae'n ymddangos hefyd fod ei gweithred ddiweddaraf, torri i mewn i'r siop, yn brotest gyffredinol yn erbyn 'yr holl System'. I Blodeuwedd, roedd yn fwy na mater o wneud llanast mewn siop. Iddi hi, roedd y siop yn symbol o drefn gyfalafol oedd yn llawn twyll a chelwydd, ac wrth ymosod ar y lle roedd hi'n gwneud rhywbeth i dynnu sylw at hynny. Mae'n ymddangos ei bod yn fwy balch o'r weithred hon na'r un arall, ac yn teimlo ei bod, am unwaith, wedi gwneud 'rhywbeth o werth'.

Ar ôl cyrraedd y carchar, mae'n gweld rhagor o anghyfiawnder o'i chwmpas. Dywedodd Angharad Tomos unwaith fod mynd i'r carchar wedi agor ei llygaid i fyd hollol wahanol, gan ddangos iddi 'holl broblemau dosbarth gweithiol Lloegr'. Dyna brofiad Blodeuwedd hefyd. Un olygfa fach sy'n crynhoi hyn yw'r un lle mae un o swyddogion y carchar yn ceisio dangos i ferch araf o'r enw Ellen sut i wnïo botwm:

> "Tydw i'n glyfar, deudwch?" meddai'r sgriw ...
> "Ydach," cytunodd Ellen druan, "dyna pam dach chi'r ochor yna i'r bwrdd, a finna'r ochor arall." (103)

Fel y dywed Blodeuwedd wedyn, mae carcharorion fel Ellen yn sylweddoli nad eu bai nhw eu hunain yn gyfan gwbl yw'r ffaith eu bod yn y carchar. Pobl heb gael llawer o siawns mewn bywyd ydyn nhw, a'r awgrym yw fod 'trefn cymdeithas', wrth eu cadw i lawr, wedi eu harwain i droseddu.

Mae Blodeuwedd yn gweld creulondeb yn y carchar hefyd. Un o'r straeon gwaethaf y mae wedi eu clywed yw'r un am ferched beichiog yn erthylu, yn 'colli babis mewn celloedd a neb yn dod atyn nhw'. Nid yw'n gwybod a yw'r stori yn wir, ond mae'n sicr o un peth – nid carchar yw'r lle i ferched beichiog, nac i bobl fel Gracie, sydd dros ei thrigain ac yn dychmygu ei bod hi'n feichiog.

Un o ddiwrnodau gwaethaf Blodeuwedd yn y carchar yw'r diwrnod pan yw'n clywed bod taflegrau *Cruise* wedi cyrraedd Greenham, er gwaethaf protest fawr y merched. Mae hyn yn gwneud iddi deimlo'n isel iawn, ac yn gwneud iddi golli ffydd mewn democratiaeth. I Blodeuwedd, mae brwydr y Gymraeg yn rhan o frwydr fawr iawn.

Carchar bywyd

Thema sy'n perthyn i'r thema uchod yw hon. Er fod *Yma o Hyd* yn rhoi darlun byw ac arswydus iawn o fywyd yn y carchar, mae hefyd yn dangos, fel y dywedodd John Rowlands, mai 'bywyd ei hun yw'r carchar yn y pen draw'.

Dyma syniad sy'n cael ei gynnal trwy'r dyddiadur. Ar y dechrau, a hithau newydd gyrraedd y carchar, dywed Blodeuwedd ei bod yn falch o fod yno. Y tu allan i'r carchar, mae'n rhaid iddi feddwl am ei phroblemau; y tu mewn, mae yna gyfle i anghofio am y rheiny, am nad oes dim y gall hi ei wneud yn eu cylch. Mae'n dweud rhywbeth tebyg ar ddiwedd y dyddiadur, lle mae hi'n meddwl y byddai'n haws aros yn y carchar na mynd allan ac wynebu realiti. Yma mae hi'n cyfleu'r syniad fod carchar yn lle i ddianc oddi wrth fywyd.

Ond yr eironi yw fod holl ddyddiadur Blodeuwedd yn dangos nad oes modd dianc rhag bywyd a'i broblemau, hyd yn oed yn y carchar. Mae ei phroblemau a'i theimladau wedi ei dilyn hi i mewn. Ac mae'r un peth yn wir am bawb sydd yno. Mae Blodeuwedd yn meddwl am hynny ar ôl methu perswadio Kathleen i siarad gyda hi:

> Mae pawb ar ei ben ei hun yn y fan hyn. Nid yn unig mae 'na ddrws wedi'i gau arnon ni i gyd, ond mae drws ein meddyliau ni wedi cael ei gloi hefyd – ei gloi'n sownd. Felly dan ni i gyd wedi ein cloi yn ein bydoedd ein hunain. (87)

Dyma fath arall o garchar – carchar meddyliau a theimladau.

Lle llawn **rheolau** yw'r carchar go iawn. Er enghraifft:

- Chaiff Blodeuwedd ddim mynd â'i Beibl i'w chell.
- Mae golau'n cael ei ddiffodd ar adeg arbennig.
- Does dim hawl i eistedd ar y bync cyn adeg arbennig.
- Mae'n rhaid cyflawni tasgau penodol ar adegau arbennig (e.e. glanhau, trwsio dillad).

Ond mae gan fywyd y tu allan i'r carchar ei drefn a'i reolau hefyd, a'r rheiny'n aml yn annheg. Meddwl am Kathleen, unwaith eto, sy'n atgoffa Blodeuwedd o hyn. Mae'r merched eraill i gyd yn osgoi Kathleen am ei bod hi'n dew ac yn drewi; yr 'Hogan Dew' yw enw Blodeuwedd ei hun arni. I Blodeuwedd, mae hi'n enghraifft o ddull creulon cymdeithas o labelu a rhannu pobl ar sail cefndir neu'r ffordd maen nhw'n edrych:

> Nytars a Normal. Pobol Ddel a Phobol Hyll. Rhai sy'n Drewi. Rhai sydd Ddim. Pobol Glên a Phobol Annifyr. Hyd yn oed Rhai Sgin Chydig a Rhai Sgin Ddim. Da a Drwg. (68)

Yn yr ystyr yma, mae'r carchar yn copïo'r elfennau gwaethaf mewn bywyd.

Iaith ac Arddull

Wrth ysgrifennu dyddiadur, nid ydym fel arfer yn disgwyl i neb ei weld a'i ddarllen ac felly nid ydym yn chwilio am iaith lenyddol, ffurfiol. Rydym yn fwy tebyg o daro pethau i lawr yn gyflym, mewn *iaith bob dydd*, syml, naturiol. Iaith felly, yn sicr, sydd yn *Yma o Hyd*. Iaith lafar Blodeuwedd yw iaith y gogledd, a dyna'r iaith mae hi'n ei defnyddio yn y dyddiadur, heb wahaniaethu llawer rhwng naratif a deialog. Mae hi'n ysgrifennu fel y byddai hi'n siarad, mwy neu lai, gan ddefnyddio ffurfiau llafar fel 'ddaru ni ddim' (wnaethom ni ddim), 'fama' (yn y fan yma) a 'gin i ofn' (mae gen i ofn). Agwedd arall ar yr iaith lafar yw defnyddio ebychiadau yn aml – 'Daria', 'Randros', 'Myn coblyn', 'Myn cebyst', i enwi dim ond rhai.

Nodiadau cryno a geir yn aml iawn mewn dyddiadur, nid brawddegau llawn, ac mae hynny'n wir am rannau o'r dyddiadur hwn. Dyma ddisgrifiad Blodeuwedd o'i chell, er enghraifft – disgrifiad sydd mor foel â'r gell ei hun:

Pedair wal, un drws a ffenast. Dwy gadair, bwrdd a dau bot piso. (9)

Mae'r dyddiadur hefyd yn llawn *cwestiynau rhethregol*, hynny yw nid cwestiynau y mae Blodeuwedd yn disgwyl ateb iddyn nhw (does neb gyda hi, beth bynnag) ond cwestiynau sy'n rhan o'r broses o'i dadansoddi ei hun; er enghraifft:

am y weithred o dorri i mewn i'r siop: 'Jest taro allan yn erbyn rwbath o'n i felly? Jest chwythu i fyny?' (80)

wrth geisio deall sut y daeth hi'n weithredwr: 'Efo faint o'i gymeriad mae plentyn yn cael ei eni?' (98)

Ochr yn ochr â'r elfennau llafar hyn, fodd bynnag, mae yna hefyd nifer o ddyfeisiadau llenyddol yn cael eu defnyddio er mwyn creu effaith. Ceir *cymariaethau* trawiadol; er enghraifft, mae meddwl Blodeuwedd yn troi mewn cylchoedd 'fatha rholyn o selotêp na fedra i ddim dod o hyd i'w ben o', ac mae coesau Kathleen 'run fath â phibellau concrid'. Cymhariaeth wych arall yw'r un lle mae Blodeuwedd yn ei disgrifio ei hun yn mynd i mewn ac allan o garchar gymaint o weithiau nes oedd hi 'fel cloc cwcw yn ôl a mlaen, nôl a mlaen'. Rhywbeth mecanyddol yw cloc cwcw, a pheiriannol hollol oedd y modd yr oedd Blodeuwedd yn herio'r gyfraith eto ac eto, heb aros i feddwl. Mewn rhan arall o'r dyddiadur ceir *trosiad* sy'n dweud rhywbeth digon tebyg, pan ddywed Blodeuwedd ei bod hi wedi 'sgriwio fy hun yn belen gron, galed' i daro'n ôl, dro ar ôl tro, yn erbyn Prydain a'i chyfraith. Mae defnydd cyson o eiriau fel 'taro' a 'herio' yn help i greu'r un effaith.

Mae darlun cofiadwy arall yn cael ei greu wrth gofio cyfnod cynharach, cyfnod plentyndod, a'r dyddiau pen-blwydd a oedd bob amser yn achlysuron hapus iawn:

> Andros o de parti gwerth chweil, canu "Pen-blwydd hapus" a chwythu canhwyllau. Braf, braf, braf. Pan fydda i am gofio 'nheulu, fel 'na rydw i'n eu cofio nhw – o amgylch bwrdd, eu hwynebau wedi eu goleuo gan ganhwyllau pen-blwydd a'u llygaid nhw'n dawnsio o lawenydd. (97-8)

Ond nid yw Blodeuwedd yn teimlo'n hapus yn awr, ac er mwyn cyfleu'r gwahaniaeth mae hi'n ymestyn **delwedd** y darn uchod o wynebau o gwmpas bwrdd a chacen ben-blwydd. Wrth ddod i'r carchar, meddai, mae hi wedi chwythu'r wynebau hapus 'i gyd i ffwrdd ... a 'ngadael fy hun mewn tywyllwch mawr'.

Yn y diwedd, fodd bynnag, mae'n bwysig cofio mai dadlau dros achos y mae'r awdur yn y dyddiadur hwn, sef achos yr iaith. A dyfynnu John Rowlands eto, mae Angharad Tomos yn defnyddio geiriau 'nid fel ffenestri lliw i syllu'n edmygus arnynt, ond fel arfau i bigo a phrocio a chynhyrfu'. Hynny yw, mae'r neges yn bwysicach na'r grefft, a neges yr awdur, trwy Blodeuwedd, yw fod angen i'r Cymry ddeffro i argyfwng yr iaith, a 'gwneud rhywbeth' cyn iddi fynd yn rhy hwyr. Wedi dweud hynny, fel yr ydym wedi gweld, *mae* yma grefft, crefft sydd wedi'i hoelio'n dynn iawn wrth y cynnwys.

Darn (i) o *Yma o Hyd*

LLUN, HYDREF 31, 1983

Diwrnod cynta o waith. Ron i 'di meddwl y cawn i gychwyn yn syth, ond roedd yn rhaid ciwio drwy'r bore i weld y *Welfare Officer* a'r *Education Officer*.

"Fedrwch chi ddarllen?" oedd cwestiwn cynta'r swyddog addysg. Es i ddim mor bell â chael gweld hon y tro dwytha ron i i mewn.

"Medraf."

"Sut mae'ch mathemateg chi?"

"Iawn."

"Dim problemau?"

"Dim felly."

"Pryd ddaru chi adael yr ysgol?"

"Yn ddeunaw." Mae hi'n edrych yn anghrediniol arna i.

"Does ganddoch chi ddim Lefel A?"

"Oes."

"Be ddaru chi ar ôl gadael yr ysgol?"

"Gradd mewn Clasuron."

Mae hi'n stopio'n stond. "Be dach chi'n neud yn fan hyn?"

"Cael fy ngyrru yma wnes i."

"Beth oedd eich trosedd chi?"

"Torri i mewn i siop."

"Dwyn?"

"Na, dim ond gwneud llanast yno."

"Be sydd haru'ch pen chi?" Cwestiwn anos i'w ateb. "Wedi lluchio'ch dyfodol i ffwrdd. Alla i ddim beio'r mwyafrif am fod yma – dydi bywyd ddim wedi cynnig dim byd gwell iddyn nhw – ond rhywun run fath â chi ... wedi cael cynnig popeth ..."

Doedd yna ddim pwynt ceisio egluro wrthi hi.

"Be oedd yn bod?"

"Fasech chi ddim yn deall."

"Triwch."

"Dydach chi ddim yn Gymraes." Newidiodd ei hagwedd yn llwyr.

"O, un o'r rheiny ydach chi."

Doedd arni ddim eisiau gwybod rhagor. Synhwyrwn rywsut ei bod hi'n siomedig mai dyna ddiwedd y stori; ei bod hi wedi datrys y dirgelwch mor rhwydd. Wrth dacluso'i phapurau trodd ataf yn sydyn a dweud, "Pa ymgyrch ydach chi'n ei hymladd rŵan? Teledu oedd pob dim ganddoch chi beth amser yn ôl."

"Run ymgyrch yn arbennig."

"Pam mae cenedlaetholwr yn torri i mewn i siop, 'te?"

"Dwn 'im."

"Peidiwch â deud wrtha i eich bod chi'n fandal cynhenid."

"Dydw i ddim."

"Oes pwynt trio?"

"Nac oes."

Mae hi'n eistedd yn ôl yn ei chadair.

"Does dim rhaid i chi 'nhrin i fel y gweddill wyddoch chi. Dydw i ddim yn rhan o'r Sefydliad. Yma i gynnig help i bobl ydw i."

"Dwi'n amau dim."

"Pam na ddeudwch chi wrtha i 'ta?"

"Does 'na ddim llawer i'w ddeud."

Mae hi'n edrych yn hir arna i a dwi'n meddwl mai dyna pryd y daeth i'r casgliad nad oeddwn i'n llawn llathen. Doedd 'na ddim eglurhad taclus arall.

"Dach chi'n ei chael hi'n anodd yma?" Gofyn er mwyn gofyn.

"Iawn." Ochneidiodd.

"Dyna ni 'ta. Allwn ni ddim bod o lawer o gymorth i chi felly, allwn ni?"

"Plîs ga i bapur?"

"Papur?"

"Rydw i'n hoff o sgwennu," eglurais.

"Wrth gwrs, dach chi'n un o'r rhain sy'n gallu, tydach?" oedd ei geiriau olaf.

Dwi'n meddwl rŵan y dyliwn i fod wedi trio siarad efo hi. 'Namlwg y byddai hi wedi hoffi sgwrsio, petai ond o gywreinrwydd. Ond beth mae rhywun yn 'i ddeud wrth rhywun fel'na? Saesnes ryddfrydol - does 'na neb gwaeth na nhw. Rheini sydd â phopeth ganddyn nhw, ac sy'n methu deall pam na allan nhw helpu pawb i fod run fath â nhw'u hunain. Ddim yn ystyried nad oes gan y mwyafrif fymryn o awydd i fod run fath â nhw. Pobl gafodd eu magu ar athroniaeth Scowtiaid a *Guides* a rioed wedi tyfu allan ohoni hi. Hen bobl sy'n pryderu am forfilod a phlanhigion prin a beth bynnag arall sy'n amherthnasol.

Tasgau

1. Mae'r darn yma bron i gyd ar ffurf sgwrs rhwng Blodeuwedd a Swyddog Addysg y carchar. Soniwch am iaith ac arddull y darn gan ddangos sut mae cwestiynau'r Swyddog Addysg ac atebion Blodeuwedd yn adlewyrchu agwedd y ddwy at ei gilydd.
2. Dychmygwch eich bod yn cael sgwrs gyda pherson mewn awdurdod, person sy'n cynrychioli rhyw sefydliad (er enghraifft, plismon, athro, gweinidog neu reolwr banc). Trwy ddeialog, ar ffurf cwestiwn ac ateb fel yn y darn, ceisiwch gyfleu rhyw fath o wrthdaro neu wahaniaeth agwedd.

Darn (ii) o *Yma o Hyd*

Wna i byth anghofio'r tro cynta ddaru mi weithredu. Ron i'n cael fy ngwahardd rhag gwneud dim tan es i i'r coleg. Ond ar un o nosweithiau cyntaf y tymor colegol, heb na thad na mam nac athro na phrifathro na neb na dim i'm rhwystro, dyma fynd allan efo sbaner i dynnu arwyddion. Oedd, roedd gen i ofn; ron i'n crynu gan ofn, ond nid dyna oedd yn bwysig. Yr hyn oedd yn bwysig oedd 'mod i'n mynd allan i weithredu.

Fe gymerodd hi andros o lot o amser i dynnu'r arwydd – dros dri chwarter awr – achos roedd o'n un mawr efo lot o Saesneg arno fo. Yr hen lawiau oedd wrthi fwyaf, ninnau'r rhai glas yn gwneud y gwaith o wylio, ac o basio sbaneri, fel helpar deintydd yn pasio'r celfi'n ôl ac ymlaen. Gwynt oer y nos, lleuad wan, gwaedd – CAR! – a lluchio'n hunain ar y gwair. Doedd 'na ddim byd tebyg iddo i gyflymu'r adrenalin. Gwrando ar gloncian sbaneri a'r gymysgedd o obaith ac ofn ynom; ond yn fwy na dim, cael y teimlad o bwrpas ein bod ni o'r diwedd yn *gwneud* rhywbeth. Clywed yr arwydd yn llithro'n araf, a phawb yn uno wedyn i dynnu'r arwydd yn rhydd. Lle bu Seisnigrwydd, roedd yna ddau bolyn a'u noethni'n cyfleu cyfrolau. Dau bolyn di-waith, a'u gwaith o gynnal Seisnigrwydd a Threfn wedi dod i ben yn ddisymwth. Arwydd oedd yn cyfathrebu, arwydd oedd yn cofnodi'r ffurf Saesneg ar enwau Cymraeg, arwydd oedd yn dynodi gorthrwm, ymhen tipyn yn ddarnau mân, diystyr, o fetel. Ac arwydd ffordd ydi'r ffurf mwyaf diriaethol o Seisnigrwydd. Dyna pam roedd hi'n ymgyrch mor lwyddiannus. Yn wahanol i Sais, neu dŷ haf, neu sianel deledu, mae o'n ffurf o Seisnigrwydd y medrwch chi afael ynddo, ei guro'n ddidrugaredd, neidio arno fo, ei luchio fo, a'i falu'n rhacs. Mae'r arwydd yn gallu taro'n ôl weithiau ac mae ei ochrau garw yn gallu torri croen y protestiwr. Ond anrhydedd ydi cael anaf gan arwydd ffordd. Yr un yw ei lafn â'r llafn laddodd Llywelyn a Rhodri Mawr. O gael ein brifo, run balchder ydi o â'r balchder deimlai mintai Glyndŵr. Mae gen i friw mawr a dwfn ar dop fy nghoes, ar yr ochr feddal. Hwnnw ydi'r briw gwaetha gen i, ac mae'r graith yn dal yno ar ôl ryw rali bum mlynedd yn ôl. Ac mi fydda i'n meddwl weithiau mewn rhyfeddod, pe bawn i'n rhoi genedigaeth byth, mai'r peth cyntaf a wêl fy mhlentyn ydi ôl arwydd Saesneg ar gnawd ei fam.

Tasgau

1. Dywedwch, yn eich geiriau eich hun, beth sy'n digwydd yn y darn hwn.
2. A ydych chi'n cofio gwneud rhywbeth arbennig am y tro cyntaf (er enghraifft gyrru car, mynd mewn awyren)? Disgrifiwch y profiad yn fanwl.
3. Cymharwch arddull Darn I a Darn II gan fanylu ar dechnegau arbennig a natur yr iaith a dweud sut mae'r pethau hynny yn cael eu defnyddio i gyfleu agwedd neu deimladau, neu i greu awyrgylch.
4. Lluniwch bortread o'r prif gymeriad, Blodeuwedd, gan ddefnyddio gwybodaeth o'r ddau ddarn.

Darllen Pellach

Cyfrolau eraill gan Angharad Tomos
Hen Fyd Hurt (Urdd Gobaith Cymru, 1982/Y Lolfa, 1992)
Si Hei Lwli (Y Lolfa ar ran Llys yr Eisteddfod, 1991)
Titrwm (Y Lolfa, 1994)

Rhai ymdriniaethau ag *Yma o Hyd*
Dafydd Morgan Lewis, *Llais Llyfrau*, Gwanwyn 1986, tt.16-17

Gwen Davies, *Planet*, Chwefror/Mawrth 1987, tt. 97-9

John Rowlands, *Ysgrifau ar y Nofel* (Gwasg Prifysgol Cymru, 1992), tt. 285-91

Deunydd cefndir am Gymdeithas yr Iaith

Gwilym Tudur, *Wyt Ti'n Cofio?* (Y Lolfa, 1989)

Cyfweliadau ag Angharad Tomos

Menna Baines, 'Ar Air a Gweithred: Holi Angharad Tomos', *Barn*, Hydref 1991, tt. 3-6

Rhys Owen, 'Pais yn Sgwrsio ag Angharad Tomos', *Pais*, Medi 1984, tt. 10-11

Geirfa

tud. 60 ysgytiol – *unnerving*

tud. 62 mewnlifiad – *influx*

mudiad cenedlaethol – *nationalist movement*

Yma o Hyd – *'Still Here'*

tud. 64 weithgar (< gweithgar) – *active*

gwrthdaro – *conflict*

tud. 67 cyn i mi droi – *before I could blink*

safiad – *stance*

tud. 68 hunangyfiawn – *self-righteous*

Sefyll yn y Bwlch – *to stand in the breach, to stand up for something*

Ew – *Gosh*

chwalu – *to shatter*

yn y pen draw – *in the end*

tud. 70 hen ddigon o drafferth – *quite enough trouble*

nawddoglyd – *patronizing*

stomp llwyr – *complete mess*

tud. 71 Farcsydd (> Marcsydd) – *Marxist*

myn coblyn – *my foot*

tud. 72 Cymraes nodweddiadol – *typical Welshwoman*

am hydoedd – *for ages*

wrthi'n barod – *already busy*

tud. 73 arswydus – *frightening*

tud. 74 yn eu cylch – *about them*

Rhai Sgin (< sydd gan) – *those who have*

tud. 75 daro (< taro) – *to jot*

ebychiadau – *exclamations*

foel (< moel)

tud. 75 gron (< crwn)

tud. 76 Andros o de parti gwerth chweil – *A really good tea-party*

edmygus – *admiringly*

anghrediniol – *disbelievingly*

tud. 77 stopio'n stond – *to stop short*

Be sydd haru'ch pen chi? – *What came over you?*

anos – *more difficult*

Dwn 'im (< Nid wn i ddim)

fandal cynhenid – *born vandal*

nad oeddwn i'n llawn llathen – *that I wasn't all there*

tud. 79 'Namlwg (< yn amlwg)

gywreinrwydd (< cywreinrwydd) – *curiosity*

andros o lot o amser – *a very long time*

hen lawiau – *veterans*

rhai glas – *novices*

tud. 80 cyfleu cyfrolau – *to speak volumes*

ddisymwth (< disymwth) – *suddenly*

didrugaredd – *mercilessly*

Llywelyn ⎫
Rhodri Mawr ⎭ – *Welsh princes*

Robin Llywelyn

Mihangel Morgan

Mihangel

4. ROBIN LLYWELYN
A MIHANGEL MORGAN

– Sut mae hi?

– Pwy?

– Dy ddraig di.

– O honno. O mae hi'n iawn ond mae hi'n dal i lercian dan y gwely o hyd.

– 'Na beth rhyfedd, fe ges i'r un drafferth 'da'r uncorn 'na oedd 'da fi slawer dydd. Ffaelu 'i gael e i ddod mas o'r cwpwrdd.

(Mihangel Morgan, 'Mi Godaf, Mi Gerddaf', *Saith Pechod Marwol*, 40-1)

Sgwrs rhwng dwy ddynes ar fws yng Nghaerdydd yw'r uchod, a'r ddwy, mae'n ymddangos, yn trafod eu hanifeiliaid anwes. Ond yn lle sôn am gi a chath, maen nhw'n sôn am ddraig ac uncorn, fel petai cadw draig ac uncorn y peth mwyaf naturiol yn y byd. A dyna un o nodweddion math newydd o ryddiaith Gymraeg sydd wedi dod yn amlwg yn ddiweddar – mae'n rhoi lle canolog i bethau hurt ac abswrd ac anhygoel, ac yn troi ein syniad ni o realiti â'i ben i lawr.

Cefndir

Ysgrifennu ffantasi

Term cyffredinol iawn yw ffantasi wrth drafod llenyddiaeth. Mae sawl diffiniad gwahanol o ysgrifennu ffantasi, a llawer o anghytuno ynglŷn â beth sy'n cyfrif. Er enghraifft, byddai rhai pobl yn cynnwys ffuglen wyddonol a straeon am ysbrydion, tra byddai eraill yn cau'r rhain allan. Ond egwyddor sylfaenol ysgrifennu ffantasi yw ei fod yn mynd â ni i fyd arall sydd ar wahân i'r byd rydym ni yn ei adnabod.

Wrth gwrs, mae pob darn o lenyddiaeth yn creu rhyw fath o fyd dychmygol. Does yr un nofel, stori na drama yn ddrych union o'r byd fel y mae, ond mewn llenyddiaeth realaidd mae yna ymgais i adlewyrchu realiti. Mewn ffantasi, ar y llaw arall, rydym yn cael ein tynnu ymhellach i mewn i fyd y dychymyg, ac yn cael ein gwahodd i gredu pethau a fyddai'n wyddonol amhosibl yn ein byd ni. Galwodd Tolkien, un o'r awduron ffantasi enwocaf, y byd dychmygol hwn yn 'Ail Fyd', er mwyn gwahaniaethu rhyngddo a'r 'Byd Cyntaf', sef ein byd ni.

Dyma rai o nodweddion mwyaf cyffredin yr 'Ail Fyd' mewn llenyddiaeth ffantasi:

- Byd sydd ar wahân o ran amser, e.e. gall fod yn fyd yn y dyfodol neu'n fyd heb amser.
- Byd sydd ar wahân o ran lle, e.e. gall fod yn lleoliad dychmygol ar ein daear ni neu ar blaned arall.
- Byd lle mae hud a lledrith ar waith, e.e. yn galluogi pobl i fyw am fwy o amser neu symud dros bellter mawr yn gyflym.
- Bodolaeth creaduriaid neu fodau dychmygol.
- Rhoi nodweddion dynol i anifeiliaid, fel yn *The Wind in the Willows*, nofel Kenneth Grahame, neu yn y chwedl Gymraeg hynafol, Culhwch ac Olwen.
- Rhoi nodweddion dynol i wrthrychau naturiol, fel afon neu fynydd neu goeden.

Er fod yr uchod yn rhoi syniad o gynnwys y byd ffantasi llenyddol, mae pob math o amrywiaeth yn bosibl. Gall stori fod ag elfennau'n unig o ffantasi; neu fod â throed mewn dau fyd, y byd go iawn a'r un ffantasïol; neu fod yn gyfan gwbl yn y byd dychmygol.

Mae'r hen chwedlau Cymraeg yn llawn ffantasi. Yn storïau'r Mabinogi, o'r Oesoedd Canol, mae dewin yn creu gwraig o flodau ac mae milwyr sydd wedi'u lladd yn dod yn fyw eto trwy gael eu taflu i'r 'Pair Dadeni'. O gyfnod diweddarach, mae gennym *Gweledigaetheu y Bardd Cwsc* (1703) lle mae'r awdur, Ellis Wynne, yn dychmygu beth sy'n digwydd i bobl yn uffern.

Prin yw ysgrifennu ffantasi Cymraeg yn y cyfnod diweddar. Traddodiad realaidd fu traddodiad y nofel Gymraeg o'r dechrau, gyda'r awduron bron i gyd yn troi at hanes Cymru neu at eu hoes a'u cymdeithas eu hunain am gefndir i'w gwaith. Fe fentrodd ambell awdur i fyd ffantasi; ysgrifennodd Islwyn Ffowc Elis, er enghraifft, nofel wedi'i gosod yng Nghymru'r dyfodol, a nofel wedi'i gosod ar blaned arall. Ond eithriadau yw nofelau o'r fath.

Fodd bynnag, erbyn hyn mae arwyddion pendant fod pethau'n newid. Ymddangosodd dau awdur newydd, ifanc sy'n torri allan o'r traddodiad realaidd ac yn symud i gyfeiriad ffantasi. Cyfarwyddwr Rheoli Cwmni Portmeirion yw Robin Llywelyn, a darlithio yn Adran y Gymraeg, Coleg Prifysgol Cymru, Aberystwyth, fu Mihangel Morgan yn ystod y blynyddoedd diwethaf. Cafodd nofelau gan y ddau eu gwobrwyo yn yr Eisteddfod Genedlaethol, gyda Robin Llywelyn yn ennill y Fedal

Ryddiaith yn 1992 a 1994, gyda *Seren Wen ar Gefndir Gwyn* ac *O'r Harbwr Gwag i'r Cefnfor Gwyn*, a Mihangel Morgan yn ei hennill yn 1993, gyda *Dirgel Ddyn*. Mewn tair blynedd cawsom dair nofel sy'n gwbl wahanol i unrhyw beth sydd wedi'i gyhoeddi yn Gymraeg o'r blaen, gan ddau awdur sy'n arbrofi gyda ffyrdd newydd o ddweud stori. Rydym hefyd wedi cael straeon ganddyn nhw, pedwar casgliad gan Mihangel Morgan, *Hen Lwybr a storïau eraill* (1992), *Saith Pechod Marwol* (1993), *Te Gyda'r Frenhines* (1994) a *Tair Ochr y Geiniog* (1996), ac un casgliad gan Robin Llywelyn, *Y Dŵr Mawr Llwyd* (1995). Mae elfennau ffantasi yn y rheiny hefyd. Efallai ei bod yn rhy gynnar eto i sôn am ysgol o ysgrifennu newydd ffantasïol yn Gymraeg, ond mae'n ymddangos bod gwaith y ddau awdur cyffrous yma yn dechrau dylanwadu ar ysgrifenwyr eraill.

Y rhyfedd a'r swreal

Mae gwaith Robin Llywelyn yn mynd â ni'n ddwfn i fyd ffantasi. Yn ei ddwy nofel, fel mewn hen chwedlau, mae'r cymeriad canolog yn mynd ar daith i bwrpas arbennig, ac yn cael anturiaethau rhyfeddol ar y ffordd. Er enghraifft, yn *Seren Wen ar Gefndir Gwyn* mae yna anifeiliaid o'r enw 'Llydnod Hynod' sy'n fflachio eu 'llgada trydan', gydag un ohonyn nhw, ar ôl marw, yn dod yn fyw eto. Ac yn yr ail nofel, *O'r Harbwr Gwag i'r Cefnfor Gwyn*, un o'r llefydd pwysicaf yw llyfrgell ryfeddol lle mae'r gwe pry cop yn ddigon cryf i gaethiwo dyn ac i ddal pwysau llyfr.

Rydym mewn byd yr un mor od a swreal yng ngwaith Mihangel Morgan. Yn rhai o'i straeon ef, mae gwraig yn cael ei chipio gan UFO (efallai), peiriant yn dod yn fyw ac yn dechrau siarad, pobl yn troi'n anifeiliaid ac yn adar, a phobl eraill yn cael eu 'dadsaethu' ar ôl cael eu saethu'n farw. Yn ei nofel, *Dirgel Ddyn*, nid ydym yn siŵr a yw un o'r prif gymeriadau yn bod ai peidio. Mae'r elfennau grotésg hefyd yn amlwg yn y gwaith, gyda chymeriad ar ddiwedd un stori yn paratoi i fwyta ei fam.

Byd hanner ffordd

Yng ngwaith y ddau awdur, rydym yn aml dros ein pennau ym myd ffantasi – byd yr isymwybod, byd y dychymyg, byd breuddwyd a hunllef. Dro arall rydym rhyw hanner ffordd rhwng ffantasi a'r byd go iawn. Ond camgymeriad mawr fyddai meddwl bod y ddau lenor yma yn dianc rhag realiti'r byd o'u cwmpas. Weithiau mae eu gwaith yn atgoffa rhywun o 'realaeth hud' (*magic realism*), math o ysgrifennu sy'n cymysgu realiti bob dydd a ffantasi. Er nad yw hynny'n beth newydd o gwbl, mae'r term yn cael ei ddefnyddio fel arfer i sôn am nofelau diweddar, yn enwedig rhai gan ysgrifenwyr o Dde America yn y saithdegau a'r wythdegau. Mae nofelwyr fel Gabriel García Márquez o Golombia yn trafod pynciau gwleidyddol a chymdeithasol cyfoes, ond maen nhw hefyd yn disgwyl inni gredu mewn digwyddiadau a phwerau rhyfedd, 'amhosibl'.

Yn sicr mae Robin Llywelyn a Mihangel Morgan yn trafod y byd a Chymru heddiw, dim ond eu bod yn gwneud hynny mewn ffordd wahanol i ddull uniongyrchol y nofel a'r stori realaidd. Maen nhw'n defnyddio ffantasi i fwrw golwg ar bethau sy'n digwydd o'u cwmpas, yn wleidyddol ac yn ddiwylliannol. Er enghraifft, o ddychymyg yr awdur, nid oddi ar fap, y daw'r enwau llefydd yn nofelau Robin Llywelyn, ond mae rhai ohonyn nhw'n amlwg yn cyfateb i lefydd go iawn. Cymru yw 'Tir Bach' yn y nofel *Seren Wen ar Gefndir Gwyn*, ac mae Iwerddon, Llydaw, Ffrainc ac India yno hefyd, dan enwau gwahanol. Mae Mihangel Morgan, yn ei nofel *Dirgel Ddyn* ac yn nifer o'i straeon, yn trafod effeithiau gwleidyddiaeth adain dde. Mae'n portreadu cymdeithas faterol, hunanol sy'n troi cefn ar y tlawd, cymdeithas gul, ragfarnllyd sy'n gwrthod pobl sy'n 'wahanol', fel pobl hoyw.

Er gwaethaf eu dychymyg gwyllt a rhyfedd, dau awdur â'u traed ar y ddaear sydd yma, felly. Ond wrth ddefnyddio elfennau o ffantasi, a thrwy'r ffordd mae'r straeon yn cael eu dweud, mae eu gwaith yn herio'r holl syniad o 'realiti'. A ninnau wedi arfer meddwl am lenyddiaeth fel rhywbeth sy'n ceisio bod yn debyg i fywyd go iawn, cawn ein gorfodi i ailfeddwl. 'Onid twyll yw llenyddiaeth?' gofynna un o'r prif gymeriadau yn *Dirgel Ddyn*. Lle mae'r ffin rhwng rhith a realiti? A beth yw realiti? Dyna'r math o gwestiynau sy'n codi o hyd wrth ddarllen gwaith Robin Llywelyn a Mihangel Morgan.

Dwy o Straeon Robin Llywelyn
(o *Y Dŵr Mawr Llwyd*, Gomer, 1995)

Mae gwaith Robin Llywelyn wedi creu ymateb cryf yn y byd llenyddol Cymraeg. Mae rhai darllenwyr wrth eu bodd yn dilyn yr awdur hwn ar hyd llwybrau rhyfedd ei ddychymyg, ac eraill yn cwyno eu bod yn mynd ar goll. Yn sicr, nid yw'r gwaith yn debyg o blesio pobl sy'n disgwyl i ystyr pob peth fod yn amlwg ar y darlleniad cyntaf. Ond i'r edmygwyr, mae chwilio am ystyr ac arwyddocâd yn rhan o'r pleser. Mewn cyfweliad, dywedodd yr awdur ei hun ei fod yn croesawu dehongliadau gwahanol o'r gwaith. Yn sicr, fe roddodd ei ddwy nofel ddigon o waith dyfalu i'r beirniaid, ac mae'r un peth yn wir am ei gyfrol o straeon, *Y Dŵr Mawr Llwyd*. Cawn olwg yn awr ar ddwy o'r straeon.

'REPTILES WELCOME'

Yn ôl John Rowlands, ysgrifennodd Robin Llywelyn y stori hon ar ôl gweld arwydd *Reps Welcome* y tu allan i westy yng Ngogledd Cymru. Mae'n un o'i storïau doniolaf, ond mae modd ei gweld fel alegori hefyd.

Plot o Saernïaeth

Anifail yn dweud stori wrth anifail arall sydd yn y stori hon. Armadilo o'r enw Belinda sy'n adrodd yr hanes wrth wiwer goch o'r enw Cartoffl. Stori amdani ei hun yn mynd i ganol byd pobl yw hi, yn mynd i westy am y tro cyntaf erioed, yn yfed cwrw am y tro cyntaf, yn mynd i'r gwely gyda dyn am y tro cyntaf ac yna'n dianc.

Mae Belinda'n disgrifio beth ddigwyddodd yn fanwl wrth Cartoffl. Mae'n ail-greu'r sefyllfa mewn cyfres o luniau cartwnaidd, gan gynnwys darnau o'r ddeialog rhyngddi hi a Walter. Mae hefyd yn cyfleu ei theimladau ar y pryd. Er na chawn glywed Cartoffl yn siarad, mae'n amlwg ei fod yno gan fod Belinda weithiau yn ei gyfarch yn uniongyrchol gan ddweud 'Wyddost ti be ...', 'Gwranda' neu ateb cwestiwn ganddo. Mewn ambell fan, mae'n amlwg oddi wrth eiriau Belinda ei fod yn torri ar draws y stori. Cawn ddychwelyd at Cartoffl wrth drafod themâu. Y peth pwysig i'w gofio yma yw fod y stori gyfan yn cael ei dweud *ar lafar*, gan Belinda wrth ei ffrind.

Dyma grynodeb o'r stori, gyda phenawdau (gen i) i ddangos y prif ddatblygiadau.

Mentro i'r gwesty, ymlacio a chymdeithasu
Mae Belinda'n gweld arwydd y tu allan i westy yn dweud '*Reptiles Welcome*', ac yn mentro i mewn, braidd yn nerfus. Er fod y perchennog yn gas wrthi i ddechrau, cyn bo hir mae'n troi'n fwy caredig, ac mae hynny – a sawl peint o gwrw – yn gwneud i Belinda ymlacio. Erbyn i'r 'locals' gyrraedd, mae'r ddau ohonyn nhw ar ben y bwrdd pŵl yn dawnsio, a Belinda'n cael sylw mawr gan bawb.

Walter yn temtio Belinda
Pan ddaw hi'n amser cau, mae Walter (dyna enw'r perchennog, fel y cawn wybod yn awr) yn gofyn i Belinda fynd i'r gwely gydag ef (mewn iaith ychydig yn llai parchus). Mae ei wraig i ffwrdd, ac mae'n casáu honno beth bynnag. Mae Belinda yn cytuno, er ei bod yn ofnus wrth i Walter ddod at y

gwely, a'i drowsus ar agor. Ond yn sydyn, mae Walter yn colli pob diddordeb yn Belinda ac yn mynd i gysgu.

Dial a dianc

Dyna pryd mae Belinda'n gweld pa mor hyll yw Walter, ac yn penderfynu nad oes arni eisiau cariad fel hwn wedi'r cwbl. Ar ôl ei gnoi'n galed yn ei fan sensitif, mae'n dianc i'r coed i guddio. A chuddio y mae hi ers hynny, meddai wrth Cartoffl, er fod y sŵ, lle roedd hi'n arfer byw, ei heisiau hi'n ôl. Mae Walter ei heisiau hi'n ôl hefyd, ac wedi cynnig gwobr ariannol i'r sawl all ddod o hyd iddi. Ond yn ôl Belinda, all neb ei dal – mae hi'n rhy glyfar. I gloi, mae hi'n dweud fel yr aeth hi heibio'r gwesty un diwrnod a gweld bod Walter wedi dysgu ei wers: mae wedi rhoi arwydd y tu allan yn dweud '*No ffycin Reptiles*'.

Cymeriadau

Belinda

Mae Belinda'n cyflwyno ei hun fel armadilo. Creadur gyda chragen galed yw armadilo, a thrwyn hir ar gyfer turio i'r ddaear (mae Belinda'n ei ddefnyddio i bwrpas ychydig yn wahanol yn y stori hon!). De America yw cynefin yr armadilo, ond mae Belinda yn amlwg yn byw yng Nghymru ac yn siarad Cymraeg. Mae hi wedi cael ei magu mewn sŵ ond mae wedi dianc oddi yno.

Mae'r profiad o fynd i'r gwesty am y tro cyntaf yn ei gwneud yn ofnus ac yn swil – mae'n cochi am ei bod wedi anghofio ei chyflwyno'i hun ac yn ofni 'gwneud rhywbeth yn rong'. Dyma ddisgrifiad Belinda ohoni ei hun yn ceisio ymddangos yn hyderus, ar ôl i Walter gynnig peint iddi:

> Roeddwn i'n trio torri cŷt o'i flaen a smalio 'mod i wedi hen arfer a ballu. Trio chwerthin yn gês i gyd a jarffio i fyny at y bar ond wedyn mae hi'n anodd chwerthin hefo ceg bach bach fatha sgin armadilo ac mae hi'n anodd jarffio hefo cragen ar dy gefn a choesau chwe modfedd o hyd. (66-7)

(Dyma sefyllfa sy'n ein hatgoffa o stori enwog Kafka, '*The Metamorphosis*', lle mae dyn yn deffro yn ei wely i ddarganfod ei fod wedi troi'n bry mawr, ac yn gorfod dysgu cerdded ar lu o goesau bach. Er nad yw Belinda yn troi'n berson, mae'n profi'r un math o ddieithrwch wrth ddod i fyd pobl.)

Mae'n cael ei gorfodi, fwy neu lai, i fynd i'r gwely gyda Walter. Ond gwelwn ochr arall i'w chymeriad ar ddiwedd y stori wrth iddi ddial yn ffyrnig arno. Ar ôl dianc, mae'n awr yn benderfynol o aros yn rhydd.

Walter

Yn ôl darlun Belinda ohono, mae Walter yn ddyn annifyr iawn. Mae'n alcoholig, yn rhegi bob yn ail air ac yn trin Belinda fel baw. Act yw'r caredigrwydd yn nes ymlaen, er mwyn cael ei ffordd ei hun, hynny yw, denu Belinda i'r gwely. Cawn ddarlun hyll iawn ohono trwy lygaid Belinda ar ôl iddo syrthio i gysgu:

> A phan sbiais i arno fo wedyn dyma fi'n gweld faint mor horibl oedd o go iawn, a'i hen dishyrt o'n stremps i gyd a'i fol cwrw fo fatha slefran fôr anfarth a'i wallt o'n diferu o saim a'i ddannedd o'n frown ac yn felyn a dyma fi'n meddwl ych a fi, am ddyn ffiaidd, dwi'm isio hwn yn gariad i mi. (69)

Themâu

Mae modd mwynhau'r stori fel stori, fel y bydd rhywun yn mwynhau ffars yn y theatr. Mae'r hiwmor cartwnaidd yn nodweddiadol o Robin Llywelyn. Ond ai gwneud inni chwerthin yw unig fwriad yr awdur? Fel gyda chymaint o waith yr awdur hwn, mae'n bosibl darllen y stori fel rhyw fath o ddameg am Gymreictod.

Walter *vs.* Belinda ... y diwylliant bach yn erbyn yr un mawr

Cafodd Robin Llywelyn ei fagu yn Llanfrothen yng Ngwynedd, mewn ardal Gymraeg sydd wedi gweld newid mawr yn ystod y blynyddoedd diwethaf wrth i lawer iawn o Saeson symud i mewn. Mae'r profiad o weld yr iaith a'r diwylliant Cymraeg yn cael eu bygwth yn ganolog yn ei waith. Er nad yw'n trafod y profiad mewn ffordd mor uniongyrchol ag Angharad Tomos yn *Yma o Hyd*, mae'r gwrthdaro rhwng y diwylliant bach a'r diwylliant mwy yn un o'r prif themâu. Mae hynny i'w weld yn y stori hon.

Belinda sy'n cynrychioli'r byd Cymraeg; mae hynny'n amlwg o'r dechrau wrth iddi fynd i mewn i'r gwesty a gofyn pam nad yw'r arwydd y tu allan yn Gymraeg. Mae Walter yn ateb Belinda yn Gymraeg, ac efallai mai Cymro ydyw, ond mae'n amlwg beth yw ei agwedd at yr iaith. Saesneg yw iaith y gwesty, ac ym meddwl Walter mae rhywun sy'n gofyn am arwydd Cymraeg yn gofyn gormod:

> 'O, wela'i,' meddai'r dyn. 'Un o'r rheiny wyt ti, ia? Blydi Welsh Nash. Dwi'm isio dy deip di yma.' (65)

Mae hefyd yn gwneud hwyl am ben y ffaith fod Belinda'n siarad Cymraeg cywir:

> 'Chdi a dy Gymraeg mawr,' meddai'r boi tu ôl y ddesg. 'Sudd oren a chreision fyddi di isio nesa, mwn.' (65)

Mae Belinda felly'n cael ei thrin fel rhyw fath o *freak*, gyda'i Chymraeg da a'r ffaith mai armadilo yw hi yn ei gosod ar wahân. Gwelwn hyn eto yn yr olygfa lle mae'r bobl sy'n yfed yn y gwesty yn rhyfeddu ati – dyma'r tro cyntaf i'r rhan fwyaf ohonyn nhw weld armadilo. Sioe i'r cwsmeriaid – dyna'r cwbl yw Belinda yn y gwesty.

Fel dyn, Walter, ar y llaw arall, sy'n cynrychioli'r hyn sy'n 'normal'. Ef sy'n penderfynu pwy sy'n cael dod i mewn i'r gwesty, ef sydd â'r grym. Mae ei statws ef fel perchennog y gwesty yn adlewyrchu statws Saeson a'r iaith Saesneg yng Nghymru – yn y busnes twristiaeth (Saeson biau'r rhan fwyaf o'r gwestai) ond hefyd yn y gymdeithas yn gyffredinol. Yr iaith Saesneg yw'r iaith swyddogol. Nid yw ymweliad Belinda yn newid meddwl Walter am hynny – Saesneg yw iaith yr arwydd newydd hefyd, ar ddiwedd y stori. Walter felly sy'n cynrychioli'r ochr gryfaf yn y gwrthdaro yr ydym wedi'i ddisgrifio.

Beth yw Belinda? Seicoleg a hunaniaeth

Yn y gwesty, mae Belinda yn siarad fel rhywun sy'n teimlo'n israddol, rhywun sydd eisiau plesio. Mae llawer o'r sgwrs rhyngddi hi a Walter yn troi o gwmpas y cwestiwn beth yn union yw Belinda. Fel *reptile* mae hi'n mynd i mewn i'r gwesty, ar ôl gweld yr arwydd. Mae Walter yn gofyn beth yw *reptile* yn Gymraeg, a Belinda yn ateb:

> 'Ymlusgiad ydi'r gair swyddogol ... Ond tydi o'm yn air da. Mae'n well gennyf i gael fy nghyfeirio ataf fel "anifail ymlusgo", mae o'n fwy gwleidyddol gywir ac yn swnio'n well.' (65)

Mae Walter eisiau gwybod wedyn sut fath o anifail ymlusgo yw Belinda, a hithau'n ateb mai armadilo yw hi. Ond yn ôl Walter, nid *reptile* yw armadilo:

> 'Dim ond repteils dwi isio yma, ddim blydi anifeiliaid o fforestydd y glaw. Wyt ti'n meddwl na fedra i ddim nabod "ymlusgiad" pan wela'i un? I be ddiawl dwi'n talu 'nhrethi os ydi pob anifail penchwiban am gael martsio drwy fy lle fi'n cwyno am fy seins i gan honni ei fod o'n repteil? Sŵ Gaer ydi'r lle i chdi, mêt.'
>
> 'Wel, dwi'n feri sori,' meddwn innau ac mi roeddwn i'n sori go iawn achos ymlusgiad oeddwn i wedi meddwl oeddwn i, nid trio twyllo'r dyn oeddwn i ... hwnna oedd y tro cynta imi ddysgu nad dyna oeddwn i. (66)

Mae Walter yn iawn – nid *reptile*, neu ymlusgiad, yw armadilo, ond mamal. Ond mae'n amlwg fod Belinda wedi meddwl erioed mai ymlusgiad oedd hi. Ac yn nes ymlaen mae Walter ei hun, wrth geisio ei themtio i'r gwely, yn cyfeirio ati fel *reptile*. Mae Belinda druan wedi drysu'n waeth wedyn, a hithau erbyn hyn wedi dechrau arfer gyda'r syniad mai rhywbeth arall yw hi, sef 'anifail' (hynny yw, mamal, nid ymlusgiad). Yn ddiweddarach eto, ar ôl blino ar ei chwmni, mae Walter yn ei galw'n rhywbeth arall eto, sef 'crwban'!

Mae'r holl drafod yma ynglŷn â beth yw Belinda yn drysu'r darllenydd yn ogystal â Belinda ei hun, ond mae'n bosibl fod hynny'n gwbl fwriadol. Mae rhai Cymry Cymraeg, fel Belinda, yn ansicr ohonyn nhw eu hunain, yn ansicr o'u delwedd. Walter sy'n cael penderfynu beth yw Belinda ac mae hithau'n cymryd ei air; yn yr un modd, mae rhagfarnau rhai Saeson yn erbyn y Cymry yn dylanwadu ar y ffordd mae'r Cymry yn eu gweld eu hunain. O edrych arni fel hyn, stori'n trafod seicoleg a hunaniaeth y Cymry Cymraeg yw *'Reptiles Welcome'*.

Mae ymddygiad Belinda'n ddadlennol mewn ffyrdd eraill hefyd. Mae'r ffordd y mae Belinda yn derbyn barn Walter mor hawdd yn dangos ei hawydd i gydymffurfio â'r byd newydd, dieithr hwn. Enghraifft arall yw'r disgrifiad a ddyfynnwyd yn gynharach, o Belinda'n mynd at y bar ac yn ceisio ymddwyn yn normal er mor anodd yw hynny iddi fel armadilo ynghanol pobl. Mae'n gadael i Walter gael ei ffordd ei hun. Mae hyn yn ein hatgoffa o'r pwynt y mae Angharad Tomos yn ei wneud yn *Yma o Hyd*, sef fod y Cymry eu hunain ar fai am eu diffyg statws oherwydd eu bod yn derbyn popeth heb brotestio.

Ond wrth gwrs, ar ddiwedd stori Robin Llywelyn mae agwedd wahanol yn cael ei chyflwyno. Mae Belinda'n newid ei meddwl am Walter (efallai oherwydd ei bod yn sobri) ac yn gweld yn glir beth ydyw – dyn hyll heb unrhyw apêl o gwbl iddi. Mae hefyd yn newid ei meddwl am y gwesty; wrth fynd heibio am dro, mae'n gweld y lle mewn goleuni hollol wahanol, nid fel 'lle crand', ond fel lle blêr sydd angen côt o baent.

Profiad Belinda, felly, yw nad oedd y 'croeso' a oedd yn cael ei addo gan yr arwydd yn llawer o groeso yn y diwedd. Croeso arwynebol ydoedd – mae Walter yn fodlon derbyn creaduriaid gwahanol yn ei westy, ond dim ond ar ei delerau ef ei hun. Byddai rhai pobl yn dweud bod agwedd rhai Saeson at y Cymry yn debyg – ildio ychydig bach, ond cadw'r grym yn eu dwylo eu hunain.

Stori sy'n rhybuddio

Wrth gyflwyno Belinda fel anifail sŵ, mae'n bosibl fod yr awdur yn gwneud pwynt arall. Yn y sŵ, meddai Belinda, mae'n anodd gwneud pethau normal fel caru a magu rhai bach; hynny yw, nid yw'r sŵ yn lle naturiol i fyw, ac mae dyfodol yr armadilo yno yn ansicr. Efallai fod yma rybudd i'r iaith a'r diwylliant Cymraeg; fydd dim dyfodol iddyn nhw ychwaith os na fyddan nhw'n rhan o fywyd naturiol cymdeithas.

A beth am Cartoffl, y wiwer sy'n gwrando ar stori Belinda? Hanner ffordd trwy'r stori, mae Belinda yn gofyn beth yw ei hanes:

> Be ddeudist ti oedd d'enw di? Cartoffl? Enw Cymraeg da. Y wiwer goch ola'
> ddeudist ti? Dwyt ti ddim yn debyg i'r un wiwer welais i. A be ddigwyddodd i
> dy gynffon? O sori, *sore point*, dallt yn iawn ... 'ddylis i ddim dy fod ti mor
> groendenau. Dwi'n siŵr fod mewnlifiad y llwydion yn broblem fawr i chi, ia
> dallt yn iawn, cyw. (67)

Mae'r darn hwn yn cyfeirio at stori arall yn *Y Dŵr Mawr Llwyd*. 'Cartoffl' yw teitl y stori honno, ac enw'r creadur yn y stori. Creadur tebyg i wiwer goch yw Cartoffl, yn byw mewn coeden yng Nghymru, ac yn siarad Cymraeg, fel Belinda. Yn y stori, mae rhywun yn dwyn ei gynffon ac yntau, ar ôl ymdrech drychinebus i'w chael yn ôl, yn diflannu. Nid yw bellach yn bod, hyd yn oed mewn chwedlau. Ond mae'n ymddangos eto yn '*Reptiles Welcome*', ac mae'r dyfyniad uchod yn ei ddarlunio fel 'y wiwer goch ola'. Wrth gwrs, mae hyn yn cyfeirio at rywbeth sydd wedi digwydd ym myd natur – mae'r wiwer goch·yn brin iawn erbyn hyn, a'r wiwer lwyd wedi cymryd ei lle. Dyna ystyr 'mewnlifiad y llwydion'. Ond ar lefel arall, y 'llwydion' yw'r holl Saeson sydd wedi symud i mewn i ardaloedd Cymraeg – nhw bellach yw'r mwyafrif, nid y Cymry Cymraeg.

Mae Cartoffl, felly, mewn gwaeth sefyllfa na Belinda – ef yw'r unig un o'i fath sydd ar ôl. Mae sefyllfa'r ddau ohonyn nhw yn rhybudd i Gymry Cymraeg.

Dyma stori i wneud inni feddwl, yn ogystal â chwerthin.

'Y DŴR MAWR LLWYD'

Disgrifiad o ddŵr sydd yn y stori hon, ond mae dweud hynny yn gwneud iddi swnio fel traethawd gwyddonol. Nid dyna sydd yma o gwbl, ond darn o ysgrifennu llawn dychymyg, a ddisgrifiwyd gan John Rowlands fel 'cerdd mewn rhyddiaith'. Mae yma bob math o ystyron posibl.

Plot a Saernïaeth

Mae'r stori'n cael ei dweud gan rywun sy'n byw ynghanol dŵr (môr), a hynny ers amser hir, mae'n ymddangos. Mae'r adroddwr hwn wedi gwylio lefel y dŵr yn codi'n araf o'i gwmpas, nes cyrraedd ei ben, ac mae'n

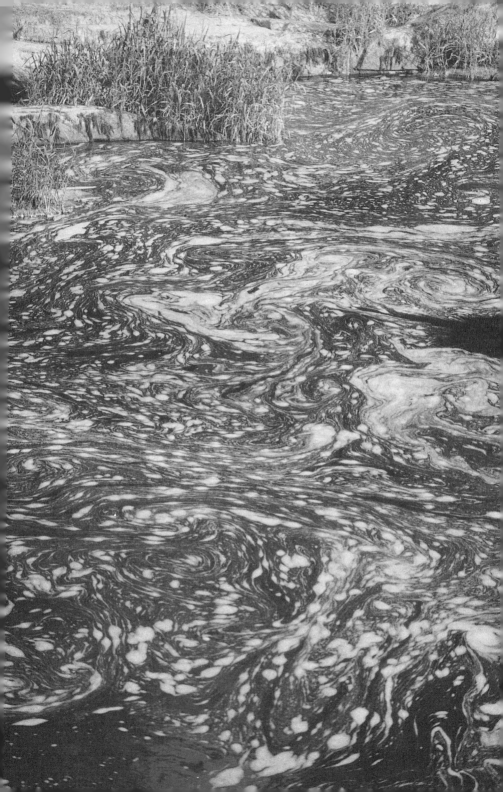

disgrifio'r broses hon yn ogystal â disgrifio'r presennol. Er mwyn hwylustod, unwaith eto, gallwn rannu'r stori'n ddwy ran.

Rhan (i) – cymharu ddoe/heddiw
Mae'r stori'n agor yn y presennol a'r paragraffau cyntaf yn canolbwyntio ar gymharu'r dŵr heddiw a'r dŵr fel yr oedd erstalwm. Heddiw, meddai'r adroddwr, mae'r dŵr yn cyrraedd at ei glustiau, ac mae'n cael ei ddisgrifio fel peth hollol ddiflas. Ond mae'r adroddwr yn cofio amser pan oedd y dŵr yn 'fach', yn chwarae o gwmpas ei draed a'r ddau yn cael hwyl gyda'i gilydd. Mae hefyd yn cofio amser pan oedd y dŵr yn cyrraedd ychydig yn uwch, at ei ben-gliniau, ac yntau yn mwynhau cerdded trwyddo, yn edrych ar y tiroedd lliwgar o amgylch y dŵr.

Rhan (ii) – y tir a ddiflannodd
Mae'r paragraffau nesaf yn dweud fel y diflannodd y tir i gyd o dan y dŵr. Digwyddodd hyn dros gyfnod o amser, bron heb i'r adroddwr sylwi. Y tir isel i'r de a ddiflannodd gyntaf. Nid yw'r adroddwr yn cofio pryd yn union, ond roedd hi tua'r adeg yr oedd y dŵr wedi cyrraedd o gwmpas ei ganol. Wrth droi ei ben un diwrnod, sylwodd fod y dŵr yn y pellter wedi mynd yn un â'r awyr, a dim sôn am y tir a oedd rhyngddyn nhw. Ymateb yr adroddwr i hyn oedd canolbwyntio ar y tir uchel i'r gogledd. Roedd yn hoffi edrych ar y mynyddoedd a'r ffriddoedd, ac ar y bywyd oedd arnyn nhw – yr eryrod, y defaid a'r ffermydd. Ond aeth y mynyddoedd yn llai ac yn llai, nes nad oedd dim ar ôl ond 'ynysoedd' o dir, ac yn y diwedd, diflannodd y rheiny. Erbyn i'r adroddwr sylwi ar hynny, roedd y dŵr wedi cyrraedd dros ei ysgwyddau. Efallai mai dyna pryd y diflannodd yr haul hefyd, meddai. Unwaith, roedd yr adroddwr wedi ceisio symud i'r cyfeiriad lle roedd y tir wedi bod, ond ni allai gerdded trwy'r dŵr.

Rhan (iii) – y presennol diflas
Mae gweddill y stori yn sôn eto am y presennol. Mae'r dŵr wedi cyrraedd yn uchel iawn erbyn hyn, gydag ambell don yn mynd i mewn i glust neu lygad yr adroddwr. Yn y byd llwyd newydd, does dim lliwiau na haul, nos na dydd. Yr unig beth sydd gan yr adroddwr ar ôl yw atgofion am yr hen fyd, a hanner gobaith am fyd gwell o dan y dŵr, lle bydd, efallai, yn gweld y tir, yr eryrod, y defaid, y wawr, y sêr a'r haul unwaith eto. Felly mae am i'r dŵr ei foddi cyn gynted â phosibl, ac mae'n galw ar y tonnau i'w lyncu a'i ollwng yn rhydd.

Cymeriadau

Y dŵr

Mae'r dŵr ei hun yn gymeriad yn y stori hon gan ei fod yn cael ei bersonoli. Mae *personoli* pethau'n perthyn i fyd natur – hynny yw, rhoi nodweddion dynol iddyn nhw – yn hen arfer mewn llenyddiaeth. Fe ysgrifennodd y bardd canoloesol Dafydd ap Gwilym gywydd enwog am y gwynt, yn galw'r gwynt, er enghraifft, yn ddyn rhyfedd, swnllyd, yn lleidr ac yn glown; mewn cerddi eraill, mae'n personoli adar ac yn siarad gyda'i gysgod. Yn y stori hon, mae Robin Llywelyn yn personoli'r dŵr, gan sôn amdano fel petai ganddo'i feddwl a'i bersonoliaeth ei hun.

Mae dechrau'r stori'n rhoi nodweddion dynol i'r dŵr yn syth:

> Y dŵr mawr llwyd a'i donnau pitw sy'n goglais fy ngwegil ac yn gwneud hen sŵn twt-twtian fel sibrwd pregethwyr yn fy nghlust. Finnau wedi meddwl erioed fod dŵr yn beth lliwgar llawen, nid yn hen beth surbwch blin. (103)

Mae'r brawddegau hyn yn darlunio'r dŵr fel person sy'n dwrdio'r adroddwr, ac fel 'hen beth surbwch blin', er fod yr adroddwr wedi arfer meddwl amdano fel peth 'lliwgar llawen'. Mae'r stori gyfan yn cynnal y gwrthgyferbyniad hwn rhwng y dŵr fel yr oedd erstalwm a'r dŵr heddiw, gan gynnal hefyd y syniad fod y dŵr yn berson.

Caiff dŵr heddiw ei ddisgrifio fel plentyn sy'n gwrthod chwarae gyda'r adroddwr, yn gwrthod ymateb. 'Mae'r dŵr mawr llwyd yr un fath o hyd, yn dweud dim ac yn gwneud llai', dywedir. Ond erstalwm, pan oedd yr adroddwr a'r dŵr yn 'fach', roedd pethau'n wahanol, a chawn y disgrifiad annwyl hwn o'r berthynas rhwng y ddau:

> Dwi'n cofio'r adeg pan oedd y dŵr yn fach, fydda fo'n treiglo'n ddiniwed rhwng bodiau fy nhraed gan wenu'n slei bach yn llygad yr haul. Finnau'n meddwl ein bod ni'n dallt ein gilydd, y dŵr bach a finnau, ein bod ni hwyrach hyd yn oed am fod yn ffrindiau. Fyddwn i'n camu drosto fo, yn neidio fel gafr ar d'ranau o'r naill ochr i'r llall, yn mynd ac yn dŵad fel mynnwn i, yn cael hwyl iawn yn chwarae ac yn chwerthin hefo fo. (104)

Dyma ddŵr sy'n gallu 'gwenu' a chael hwyl, fel petai'n blentyn ei hun. Ond nid dŵr felly ydyw yn awr. 'Dŵr mawr llwyd' ydyw erbyn hyn, nid 'dŵr bach', ac mae'r adroddwr yn ei gasáu. Mae'n dweud pam:

> ... be sy'n ddiflas ydi ei unffurfrwydd o. Mae o jest mor ddigyfnewid, mor debyg iddo fo'i hun, mor gyson ddiflas fflat. Dim iot o ffraethineb, dim owns o wreiddioldeb, yn hollol ddi-fflach. Dim byd ond yr un hen wyneb llwyd digymeriad sych yna rownd y bedlan ... (103)

Y ddelwedd o wyneb llwyd y dŵr yw prif ddelwedd y stori, delwedd sy'n cael ei chynnal mewn sawl darlun gwahanol. Wrth i'r tonnau symud ar ei draws, mae'n cael ei ddisgrifio fel wyneb sy'n 'mynd i gyd fel dyn â chrynfa o'r cryd'. Yn nes ymlaen mae'r adroddwr yn ei ddychmygu ef ei hun yn boddi, ac ymateb y dŵr i hynny:

> Mi sychith ei ddwylo a sythu'i dei a dweud wrtho'i hun yn ei ffordd dawel, undonog nad oeddwn i'n bod go iawn ac na fu yma erioed ddim byd ond dŵr. (107)

Dyma ddarlun sy'n gwneud inni feddwl am weithiwr swyddfa neu wleidydd diflas. Rydym eisoes wedi dyfynnu'r disgrifiad o lais y dŵr – 'sibrwd pregethwyr' – a cheir sôn fwy nag unwaith, yn baradocsaidd, am y 'dŵr sych'. Hynny yw, *bore* ofnadwy yw'r dŵr.

Yr adroddwr

Sefyllfa ffantasïol sy'n cael ei disgrifio yn y stori hon, wrth gwrs, a ffigwr ffantasïol yw'r adroddwr sy'n byw ynghanol y dŵr, nid cymeriad cig a gwaed fel cymeriadau mewn straeon realaidd. Ac eto, mae'n ei ddisgrifio ei hun fel person go iawn, yn enwedig wrth edrych yn ôl i'r gorffennol. Mae'n cofio'i hun yn 'sefyll ar deras heulog yn gwylio cychod', ac yn cofio'i hun yng nghwmni rhywun arall ('ni', meddai) yn gorwedd 'ar lan pwll y rhaeadrau' yn gwrando ar y dŵr ac yn chwerthin. Mae wedi bod yn byw mewn amgylchiadau normal felly, ac mae'r darlun ohono'n chwarae gyda'r dŵr yn rhoi'r argraff o blentyn yn chwarae ar lan y môr.

Mae ganddo'n sicr deimladau. Mae yna deimlad mawr o golled – colled ar ôl y tir sydd wedi diflannu o dan y dŵr. Mae'r adroddwr yn llawn atgofion da am y tir hwnnw. Mae'n cofio'r bobl 'glên' oedd yn byw yno, ac mae'n cofio harddwch lliwiau'r tir hefyd. Mae'n creu darlun byw iawn o'r mynyddoedd a'r ffriddoedd, gyda'r eryrod yn 'cylchu'r copaon fel petaent yn crogi ar gortynnau', y 'defaid grisial', a 'gwydr ffenestri'r tyddynnod yn goleuo yn yr haul hwyr'.

Mae colli hyn i gyd wedi gwneud yr adroddwr yn drist, ac wedi gwneud iddo gasáu'r dŵr am ddwyn y cyfan o dan ei drwyn. 'Ar y dŵr mae'r bai,' meddai, 'mae o'n codi mor araf nad oes modd dal sylw ar newid ei lefelau'. Ond mae'n hanner beio ei hun hefyd, am beidio sylwi ynghynt fod lefel y dŵr yn codi. Wrth gofio'r adeg pan oedd y dŵr yn cyrraedd at ei bengliniau, mae'n dweud hyn:

> Fyddai wedi bod y peth hawsaf yn y byd yr adeg honno imi fod wedi camu o'r dŵr a throedio'r tir. Fyddwn i'n rhoi fy llaw allan i'w gyffwrdd o weithiau, roedd o mor agos. (105)

Felly mae yna rwystredigaeth hefyd. Ond erbyn hyn, syrffed yw'r teimlad cryfaf; mae'r adroddwr wedi blino'n llwyr ar ddiflastod y dŵr.

Dyna'r teimladau – teimladau dynol. Ond ar yr un pryd, rydym yn cael yr argraff mai rhyw fath o ysbryd yw'r adroddwr erbyn hyn, yn enwedig yn y rhan o'r stori lle mae'n dweud bod ei draed ei goesau 'wedi mynd yn un â'r tywod a'r cerrig mawr' o dan y dŵr. Erbyn diwedd y stori mae bron â chael ei lyncu'n llwyr gan y dŵr.

Themâu

Colli tir

Fel y gwelsom, y peth sylfaenol sy'n cael ei ddarlunio yma yw colli tir, ac mae'r darlun hwnnw yn un llawn ystyr a symboliaeth i'r darllenydd Cymraeg. Gallwn sôn am ddau beth sy'n debygol o ddod i'r meddwl.

Yn sicr, mae yma adlais o chwedl *Cantre'r Gwaelod*, un o'r chwedlau Cymraeg enwocaf. Yn ôl y chwedl, roedd darn o dir Cymru wedi diflannu o dan y dŵr, wrth i'r môr lifo drosto a boddi pawb oedd yn byw yno heblaw'r brenin. Seithenyn, ceidwad y llifddorau, sy'n cael y bai, am ei fod wedi meddwi. Dywedir fod clychau eglwys Cantre'r Gwaelod i'w clywed yn canu o dan y dŵr hyd heddiw ar noson dawel. Mae'n debyg fod gwreiddiau'r chwedl hon yn mynd yn ôl i amser pan oedd y môr rhwng Cymru ac Iwerddon yn dal i godi – fel y dŵr yn stori Robin Llywelyn.

Chwedl yw Cantre'r Gwaelod, ond hanes gwir yw stori *Tryweryn*, stori arall sy'n dod i'r meddwl wrth ddarllen 'Y Dŵr Mawr Llwyd'. Cwm wrth ymyl y Bala oedd Tryweryn, ac fe gafod ei foddi yn ystod y chwedegau i greu cronfa ddŵr nid ar gyfer pobl leol ond ar gyfer Lerpwl. Bu protestio mawr, ond aeth y cynllun yn ei flaen. Gorfodwyd pobl i symud allan o'u cartrefi a chollwyd pentref cyfan. Nid tai yn unig a gollwyd yn Nhryweryn, ond cymdeithas o Gymry Cymraeg. Ers hynny mae'r rhybudd 'Cofiwch Tryweryn' wedi dod yn un o sloganau brwydr yr iaith. Pan fydd y tywydd yn sych, a'r dŵr yn isel, mae modd gweld olion y pentref.

Mewnlifiad arall

Dŵr go iawn yw'r dŵr yn chwedl Cantre'r Gwaelod ac yn stori Tryweryn, ond mae pobl yng Nghymru heddiw yn sôn am 'fewnlifiad' gwahanol, sef y mewnfudwyr o Loegr sydd wedi symud i Gymru, fel y dywedyd wrth drafod *'Reptiles Welcome'*. Daeth llawer iawn ohonyn nhw yn yr wythdegau, pan oedd prisiau tai yng Nghymru yn rhad. Gwelwyd hyn fel bygythiad mawr i'r iaith a'r diwylliant, wrth i ardaloedd Cymraeg droi'n fwy a mwy Seisnig. Mae modd darllen stori Robin Llywelyn fel alegori am hyn, gyda'r dŵr yn cynrychioli Seisnigrwydd sy'n boddi Cymreictod. 'Dŵr bach' yw'r dŵr i ddechrau, ond mae'n tyfu'n 'ddŵr mawr', gan droi o fod yn ffrind i fod yn fygythiad. Ond gwelsom fod yma awgrym fod yr adroddwr ei hun ar fai, am beidio sylwi ar y newid ynghynt. Efallai fod yr awdur yn y fan yma yn beio'r Cymry eu hunain am beidio cymryd sylw o'r hyn sy'n digwydd i'w hiaith a'u diwylliant, am beidio gweithredu ynghynt, am ei gadael hi'n rhy hwyr i wneud dim. Os ydym yn ei darllen fel hyn, mae'r stori yn troi'n rhybudd, fel 'Reptiles Welcome'.

Ystyron eraill?

Mae ystyron eraill yn bosibl hefyd, fel y dywedodd Jane Aaron wrth adolygu'r llyfr. Gwelodd hi awgrym yn y stori o Gymreictod yn cael ei foddi gan rywbeth mwy cyffredinol, sef 'diwylliant byd-eang Eingl-Americanaidd'. Ond roedd ganddi awgrym arall hefyd, sef fod y dŵr mawr llwyd yn symbol o'r diflastod sy'n 'mygu'n bywydau ni i gyd, wrth inni dyfu'n hŷn'. Roedd John Rowlands yn gweld rhywbeth digon tebyg, ond awgrymodd hefyd fod y 'frwydr anghyfartal' rhwng yr adroddwr a'r dŵr yn cynrychioli brwydr dyn yn erbyn amser.

Nid un ystyr sydd yma, ond gwahanol ystyron i wahanol ddarllenwyr. Mae hynny'n rhan fawr o apêl gwaith Robin Llywelyn i gyd. Mae hefyd yn dangos nad dihangfa rhag realiti yw ffantasi bob amser.

DIRGEL DDYN gan Mihangel Morgan
(Gomer ar ran llys yr Eisteddfod, 1993)

Gallech agor *Dirgel Ddyn* ar bron unrhyw dudalen a meddwl mai nofel realaidd yw hi. Mae'n sôn am fywyd Cymro ifanc di-waith mewn cyfnod tebyg i heddiw. Mae'r elfennau ffantasïol yn llai amlwg nag yn rhai o straeon yr awdur, ar yr olwg gyntaf. Ond o fynd ati i ddarllen, gwelwn fod y nofel gyfan yn tanseilio'r syniad o realiti gwrthrychol.

Plot a Saernïaeth

Dyn ifanc o'r enw Mr Cadwaladr sy'n adrodd y stori yn *Dirgel Ddyn*. Stori yw hi amdano ef ei hun a gwraig ganol oed sy'n dod i mewn i'w fywyd mewn ffordd od iawn. Caiff yr hanes ei adrodd fel rhywbeth sydd wedi digwydd yn gymharol ddiweddar. Mae'r nofel mewn dwy ran.

Y Rhan Gyntaf
Pennod 1

Yn y bennod gyntaf mae Mr Cadwaladr yn dweud hanes y diwrnod pan welodd Ann Griffiths am y tro cyntaf. Ond cyn hynny, cawn ychydig o hanes Mr Cadwaladr ei hun. Dyn yn byw ar ei ben ei hun ydyw, mewn fflat un-ystafell yn y ddinas. Ar ôl bod ar y dôl am sbel, mae wedi cael gwaith yn cynnal dosbarthiadau nos ar lenyddiaeth Gymraeg. Ond mae'n dal yn dlawd ac yn dal i fyw yn yr un amgylchiadau truenus, a dyna sydd yn ei feddwl un bore ar ôl deffro a gweld mor flêr a budr yw ei ystafell. Ond mae arno angen yr arian, ac felly mae'n rhaid sicrhau bod y dosbarthiadau yn parhau.

Mae angen deg aelod i gynnal dosbarth ac wrth orwedd yn ei wely, penderfyna Mr Cadwaladr ddyfeisio aelod ffug ar gyfer y dosbarth sy'n cyfarfod y noson honno. (Mae teitl y nofel yn cyfeirio at yr arfer hwn o gofrestru aelodau ffug – 'Dirgel Ddynion' – gw. tud. 13-14). Y noson honno, mae'n cofrestru'r aelod newydd dychmygol, ac wrth lenwi'r cerdyn aelodaeth, mae'n dewis yr enw Ann Griffiths. (Ann Griffiths oedd enw un o emynwyr enwocaf Cymru ac mae ei henw ym meddwl Mr Cadwaladr am ei fod yn trafod ei gwaith mewn dosbarth arall). Caiff Mr Cadwaladr sioc, felly, pan ddaw gwraig go iawn o'r enw Ann Griffiths i mewn ar ddiwedd y dosbarth.

Penodau 2 – 4

Mae rhyw fath o berthynas yn datblygu rhwng Mr Cadwaladr ac Ann Griffiths, a chyn bo hir mae Ann yn rhannu cyfrinachau mawr â'i thiwtor. Dywed iddi adael Cymru yn ifanc, a threulio cyfnod gwyllt yn Llundain yn ystod y chwedegau, lle daeth i gysylltiad â chyffuriau a chael ei charcharu oherwydd hynny. Dywed hefyd iddi gael babi – a'i ladd yn syth ar ôl iddo gael ei eni. Yn ddiweddarach, mae'n honni iddi ladd ei thad hefyd, oherwydd ei fod yn feddwyn cas nad oedd yn haeddu gwell.

Pennod 5

Er fod yr wybodaeth uchod yn sioc i Mr Cadwaladr, nid yw'n mynd at yr heddlu. Erbyn hyn mae wedi dod yn hoff o Ann Griffiths, llofrudd neu beidio. Un noson, ar ôl y dosbarth, mae'n cael cyfrinach arall ganddi, sef ei bod wedi lladd ei mam hefyd. Roedd honno'n dioddef o ganser ac eisiau marw, felly roedd Ann wedi rhoi tabledi cysgu iddi ac wedi ei mygu. Ar ôl dweud y stori, mae Ann yn gofyn a gaiff hi aros gyda Mr Cadwaladr y noson honno. Fel hyn y mae'r rhan gyntaf o'r nofel yn gorffen.

Yr Ail Ran
Pennod 1

Mae dechrau'r bennod hon yn barhad o ddiwedd pennod olaf y rhan gyntaf, gydag Ann yn mynnu bod Mr Cadwaladr yn tynnu ei ddillad ac yn dod i'r gwely. Yna mae hi'n ei dreisio. Yr olygfa ddoniol hon yw uchafbwynt y nofel. Ar ôl iddi fynd i gysgu, mae Mr Cadwaladr yn dial arni trwy dynnu lluniau ohoni'n gorwedd yn y gwely, a lluniau o'r ddau gyda'i gilydd. Yn y bore, cyn mynd, dywed Ann mai celwyddau oedd yr holl storïau a ddywedodd hi. Nid oedd hi erioed wedi byw yn Llundain nac wedi lladd neb, meddai.

Penodau 2 – 3

Nid yw Mr Cadwaladr yn gwybod beth i'w gredu erbyn hyn. Ond mae'n gweld eisiau Ann, sydd yn awr wedi diflannu. Ychydig wythnosau ar ôl y treisio, mae'n cael hunllef amdani, lle mae hi'n ymsosod arno mewn twnel. Mae hefyd yn cael gweledigaeth ohoni'n annerch rali fawr, debyg i rali Natsïaidd. Mae dau newid ym mywyd Mr Cadwaladr yn y cyfnod hwn – mae'n symud i fflat newydd, ac mae ei ddosbarthiadau nos, sydd wedi mynd yn llai ac yn llai, wedi dod i ben. Mae'n ddigalon iawn.

Pennod 4

Yna, ddwy flynedd yn ddiweddarach, mae Mr Cadwaladr yn gweld Ann eto – ar y teledu. Erbyn hyn mae'n amser etholiad cyffredinol ac mae Ann yn ymgeisydd seneddol Torïaidd mewn etholaeth yng nghymoedd De Cymru. Trwy'r cyfryngau, mae Mr Cadwaladr yn dysgu mwy am ei bywyd cynnar. Mae'n ymddangos bod rhai o'r straeon a ddywedodd Ann wrtho yn wir, wedi'r cwbl. Mae'n wir, er enghraifft, fod ei thad yn ddyn busnes llwyddiannus a'i bod hi wedi cymysgu gyda phobl enwog yn Llundain yn y chwedegau. Mae'n wir hefyd fod ei thad wedi marw o alcoholiaeth a'i mam o ganser, er nad oes sôn am ran Ann yn hynny, wrth gwrs. Ac mae'n wir, fel roedd hi wedi honni, fod ganddi frawd o'r enw Edward sy'n ddyn busnes llwyddiannus; mae ef hefyd yn sefyll yn yr etholiad cyffredinol fel ymgeisydd yn y ddinas lle mae Mr Cadwaladr yn byw. Fel Ann, mae'n gyfoethog iawn, iawn. Mae'r ddau yn ennill sedd yn y senedd, ac mae'r Torïaid yn ennill yr etholiad.

Pennod 5

Flwyddyn yn ddiweddarach, mae Mr Cadwaladr yn dal yn ddi-waith ar wahân i'r dosbarthiadau nos. Erbyn hyn mae Ann Griffiths wedi cael dyrchafiad i'r Cabinet ac mae sôn mai hi fydd y Prif Weinidog nesaf. Felly mae Mr Cadwaladr yn cael mwy o wybodaeth amdani trwy'r cyfryngau. Ond y tro hwn mae'r wybodaeth yn wahanol i'r hyn a ddywedodd hi wrth Mr Cadwaladr. Yn awr mae'n brolio ei magwraeth grefyddol Gymreig, a hithau wedi dwedud wrth Mr Cadwaladr ei bod yn fagwraeth gul. Pan ddechreua sôn am anfoesoldeb ym mywyd y wlad, mae Mr Cadwaladr yn cael digon. Mae'n penderfynu atgoffa Ann o'u cyfeillgarwch ac yn anfon lluniau parchus o'r ddau gyda'i gilydd ati. Nid yw'n cael ateb, felly mae'n ysgrifennu ati eto, gan gynnig copïau iddi o'r lluniau eraill, llai parchus, sydd ganddo. Y tro hwn, mae hefyd yn sôn am broblemau Mr Owen, a oedd yn arfer byw yn yr un tŷ ag ef, ond sydd yn awr heb gartref parhaol. Mae'n amlwg mai blacmel sydd yma.

Ymateb swyddfa Ann yw bygwth cyfraith arno, felly mae Mr Cadwaladr yn anfon copïau o'r lluniau iddi dros y ffacs. Mae'r blacmel yn llwyddiannus – mae'n ymddangos bod Ann, i gau ceg Mr Cadwaladr, yn gwneud cymwynas ag ef yn y dirgel, trwy drefnu llety i Mr Owen. Daw'r nofel i ben gyda Mr Cadwaladr yn edrych ymlaen at ffafrau eraill ganddi – wedi'r cwbl, mae'r lluniau gwreiddiol yn dal ganddo, heb sôn am yr holl straeon amdani. Mae tynged y darpar Brif Weinidog, mae'n ymddangos, yn ei ddwylo.

Cymeriadau

Dau brif gymeriad a nifer o gymeriadau llai sydd yn y nofel. Mae'r nofel yn cael ei hadrodd yn gyfan gwbl o safbwynt Mr Cadwaladr, sef y cymeriad canolog.

Mr Cadwaladr

Dyn sengl tua deg ar hugain oed yw Mr Cadwaladr. Mae'n greadur unig; er fod ganddo deulu agos, ni chawn eu cyfarfod ac ni ellir dweud bod ganddo ffrindiau. Cydnabod yn hytrach na ffrindiau yw tenantiaid eraill y tŷ ac aelodau'r dosbarth nos.

Mae Mr Cadwaladr wedi cael addysg brifysgol, ond does ganddo ddim gwaith ar wahân i'r dosbarthiadau nos. Mae bod heb waith llawn amser wedi gwneud iddo golli ei hunan-barch, fel y mae'n cyfaddef ei hun. Nid yw'n edrych ar ei ôl ei hun; mae'n byw ar 'siocledi a choffi a sigarennau'.

Mae'n ofni edrych yn y drych ac mae ei ystafell fel twlc mochyn. Er ei fod yn sylweddoli hynny ei hun, nid yw'n gwneud unrhyw ymdrech i lanhau. Yn wir, mae'n treulio tudalennau cyntaf y nofel yn cyfiawnhau'r ffaith ei fod yn flêr.

Mae'n ymddangos bod Mr Cadwaladr yn ei ystyried ei hun fel methiant. Mae wedi methu cael gwaith (oherwydd nad yw ei radd yn ddigon da), ac mae wedi methu fel bardd (ei uchelgais yw ennill cadair yr Eisteddfod Genedlaethol cyn ei fod yn ddeugain oed, ond ni chafodd unrhyw lwyddiant hyd yma). Mae ganddo ddiddordeb mewn llenyddiaeth ac mewn ffilmiau, ac mae'n treulio'r rhan fwyaf o'i amser yn y llyfrgell a'r sinema. Mae ganddo ddiddordeb mewn celfyddyd hefyd. Ond fel arall mae ei fywyd yn wag a diflas.

Fodd bynnag, mae Ann Griffiths yn newid hynny. Er ei bod tuag ugain mlynedd yn hŷn nag ef, mae'n wraig hardd ac mae Mr Cadwaladr yn cael ei ddenu ganddi o'r dechrau. Mae'n edrych ymlaen at ei gweld ac yn genfigennus wrth ei gweld un diwrnod gyda dyn arall (ei brawd, meddai Ann yn ddiweddarach). Mae'r apêl yn cryfhau wrth iddi rannu ei chyfrinachau ag ef, er mor ddychrynllyd ydyn nhw. Er ei fod yn ystyried mynd at yr heddlu ar ôl iddi ddweud wrtho ei bod wedi llofruddio ei baban a'i thad, mae Mr Cadwaladr erbyn hyn yn meddwl gormod ohoni i'w bradychu. Mae'n amlwg ei fod yn falch ei bod wedi dewis rhannu ei phrofiadau ag ef, ac ni all feddwl amdani fel llofrudd:

> ... roedd Ann Griffiths bellach yn ffrind. Am ryw reswm, roedd hi wedi ymddiried ynof yn hytrach nag yn yr un enaid byw arall. Doedd hi ddim yn anghenfil ar ddelw un o swyddogesau'r SS nac yn Myra Hindley. Roedd hi'n swynol, yn dyner, yn garedig, yn hynaws, yn fonheddig. Erbyn hyn, roeddwn i'n gaethwas iddi, yn gi bach ffyddlon iddi, yn glustog i'w thraed. (90)

Mae Mr Cadwaladr yn credu ei fod yn 'deall' Ann Griffiths, fel y dywed wrthi pan ofynna hi iddo am ei ymateb i'r ddwy stori gyntaf (sef ei bod wedi lladd ei baban a lladd ei thad). Mae'n dweud bod ei gwahoddiad iddo gysgu gyda hi yn 'annisgwyl', ac eto'n cyfaddef ei fod wedi hanner gobeithio am hyn. Yn yr olygfa hon, mae'n ansicr iawn i ddechrau, yn enwedig wrth i Ann wneud hwyl am ben ei gorff tenau a'i ddiniweidrwydd. Mae'r ansicrwydd yn troi'n fraw wrth i Ann, sy'n llawer mwy nag ef, ei orfodi i gael rhyw gyda hi.

A hithau'n ei drin mor greulon, nid yw'n syndod fod agwedd Mr Cadwaladr tuag ati yn newid yn gyflym. Mae tynnu'r lluniau yn ffordd o ddial arni, ac erbyn iddo ddeffro wrth ochr Ann y bore wedyn, mae ganddo ryw 'hyder newydd'. Yn awr, mae'n meddwl ei fod yn gweld trwyddi o'r diwedd:

Edrychais arni am y tro cyntaf y bore hwnnw, ac am y tro cyntaf erioed, fel petai. Roedd hi'n hunanol, yn hunandybus ac, wrth gwrs, gallwn weld yn awr ei bod yn llofrudd didrugaredd. (113)

Yn awr mae Mr Cadwaladr yn troi arni, gan restru'r holl bethau ofnadwy mae hi wedi eu gwneud. Mae'n gofyn pwy arall mae hi wedi ei ladd a phwy fydd y nesaf. Ateb dramatig Ann Griffiths yw nad yw hi erioed wedi lladd neb, ac mai celwyddau oedd y cyfan. Mae hi'n dweud wrth Mr Cadwaladr ei fod yn dwp yn credu popeth. Ond mae Mr Cadwaladr yn dal i feddwl ei bod yn llofrudd, a'i bod hi'n gwadu'r straeon yn awr rhag ofn iddo fynd at yr heddlu.

Ar ôl i Ann ddiflannu o'i fywyd, mae'n disgrifio ei theimladau tuag ati fel rhai cymysg. Mae'n hiraethu amdani, 'nid fel cariad ... ond oherwydd iddi ddod â swyn a dirgelwch i'm dyddiau'. Ar yr un pryd, mae'n sylweddoli mor greulon y mae hi wedi ei drin, nid yn unig yn gorfforol ond yn feddyliol hefyd, wrth chwarae gyda'i deimladau. Ond mae'n hanner beio ei hun am fod yn 'degan yn ei dwylo' ac am fod 'yn dwp yn ei chredu hi mor rhwydd.' Nid yw'n gwybod beth i'w wneud:

Roedd rhan ohonof yn maddau iddi a rhan ohonof yn mynnu dial arni. (118)

Yn y diwedd nid yw Mr Cadwaladr yn gwneud dim ar y pryd, ac efallai fod hyn yn nodweddiadol ohono; cymeriad sy'n gadael i bethau ddigwydd iddo ydyw, yn hytrach na rhywun sy'n gweithredu ei hun. Bodoli y mae, yn hytrach na byw. Cawn yr argraff hefyd nad yw'n teimlo'n arbennig o gryf ynghylch dim byd. Does dim llawer o sôn am ei deimladau hyd yn oed ar ddiwedd y nofel, wrth iddo benderfynu defnyddio'r lluniau fel blacmel. Y cwbl sy'n cael ei ddweud yw ei fod yn teimlo 'boddhad' wrth ddychmygu Ann yn gweld y lluniau. Ond mae'n ymddangos ei fod wedi datblygu'n gymeriad mwy cyfrwys a phenderfynol.

Fodd bynnag, ni allwn ddweud ein bod yn adnabod Mr Cadwaladr. Yn y pen draw, mae'n llawn cymaint o enigma ag Ann ei hun. 'Dirgel ddyn', yn wir. Ond mae'n debyg fod y dirgelwch hwn yn fwriadol, fel y cawn weld yn nes ymlaen.

Ann Griffiths

Rydym eisoes wedi dechrau trafod y disgrifiad o Ann Griffiths a gawn trwy lygaid Mr Cadwaladr. Gan fod y stori'n cael ei dweud yn gyfan gwbl o safbwynt Mr Cadwaladr, nid ydym yn dod i adnabod Ann yn dda. Yn wir, nid ydym yn sicr a yw hi'n bod o gwbl; cawn ystyried y cwestiwn hwn yn ddiweddarach. Yn y cyfamser, mae'n werth edrych ar y prif argraffiadau a gawn ohoni.

Mae yma sawl cyfeiriad at ei harddwch. Dyma argraff gyntaf Mr Cadwaladr ohoni:

> Roedd hi'n fenyw hardd tua'r hanner cant oed. Roedd ei gwallt yn britho, lliw dur. Roedd ei hwyneb wedi'i goluro'n gywrain; yr aeliau'n fwaog, yr amrannau'n gysgodion glas a llwyd, a'r gwefusau wedi'u coluro hefyd ond nid â minlliw coch, llachar eithr â rhyw frown tywyll. (40)

Fel y colur, mae'r dillad yn chwaethus hefyd – siwtiau sy'n edrych yn ddrud, gyda pherlau neu dlysau arian am ei gwddf ac yn ei chlustiau. Wrth gerdded, mae'n atogffa Mr Cadwaladr 'o long fawreddog'. Gwraig hyderus, aeddfed, urddasol, soffistigedig – dyna'r darlun a gawn.

Yn ôl ei sgwrs am bethau fel llenyddiaeth, mae Ann hefyd yn ddeallus a diwylliedig. Ac fel Mr Cadwaladr cawn ein harwain i gredu ei bod yn onest iawn yn y ffordd y mae'n datgelu popeth wrth Mr Cadwaladr. Mae'n siarad fel petai'n ei barchu, yn wir fel petai ef yn rhywun arbennig iawn iddi.

Ond wrth gwrs, mae golygfa'r treisio yn rhoi golwg arall inni ar y wraig hon. Yma, mae'n ymddwyn yn hollol wahanol. Mae'n gwawdio Mr Cadwaladr, gan ei orchymyn i wneud hyn a'r llall, ac mae'n gwbl hunanol yn ei hawydd i gael ei boddhau'n rhywiol.

Yna, wrth i Mr Cadwaladr edrych arni'n cysgu, cawn ddarlun gwahanol eto. Yn awr, mae Ann yn edrych yn bathetig, gyda'i 'cheg yn agored a phoer yn driflan i lawr ei bronnau'.

Ar ddiwedd y nofel, cawn ein darlun olaf ohoni – y gwleidydd proffesiynol, yn gwybod yn iawn sut i drin y cyfryngau. Mae ei safbwyntiau adain dde ar bethau fel erthylu a chrogi yn eironig o gofio'r hanesion personol cynharach. Mae ei diddordeb mewn llenyddiaeth Gymraeg wedi diflannu; mae'n galw am ddileu grantiau i'r iaith a'r diwylliant. Yn y drafodaeth deledu lle mae hi'n dweud y pethau hyn, yr unig beth sy'n gyson â'r hanes cynharach yw'r ffaith ei bod o blaid ewthanasia; roedd Ann wedi honni mai gweithred garedig oedd helpu ei mam wael i farw.

Cymeriadau eraill

Er fod y nofel yn canolbwyntio ar Mr Cadwaladr ac Ann, mae yna nifer o gymeriadau eraill. Y rhai pwysicaf yw'r bobl sy'n rhannu tŷ gyda Mr Cadwaladr. Mae un peth yn gyffredin i bob un o'r rhain; maen nhw i gyd yn bobl sy'n byw celwydd, yn eu twyllo'u hunain mewn gwahanol ffyrdd.

Mr Schloss

Mr Schloss yw perchennog y tŷ. Almaenwr sydd wedi dysgu Cymraeg ydyw, dyn gyda syniadau adain dde eithafol. Mae'n chwyrn yn erbyn pobl sydd ychydig yn wahanol, fel sipsiwn, pobl hoyw ac Iddewon, ac mae'n mynd mor bell â chanmol Hitler am eu herlid nhw. Ond yn nes ymlaen yn y nofel, caiff Mr Cadwaladr wybod y gwir am y landlord. Un diwrnod daw ar draws Mr Schloss, am unwaith heb y *toupée* y mae'n arfer ei wisgo, yn crio uwchben corff ei gath sydd wedi cael ei lladd ar y stryd. Mae'r Almaenwr yn agor ei galon wrth Mr Cadwaladr, ac yn dweud hanes ei deulu yn cael eu lladd gan y Natsïaid. Fe gawson nhw eu lladd, meddai, oherwydd eu bod yn Iddewon, ac ers hynny, mae ef ei hun wedi cymryd arno nad yw'n Iddew ac wedi dweud ei fod yn casáu Iddewon. Mae'n teimlo'n euog am hyn, ond mae'n rhy hwyr i newid. '"Yfory fe fydda i'n canmol Hitler eto," meddai'n drist.' Mae Mr Schloss yn marw cyn diwedd y nofel.

Ffloyd

Un o'r tenantiaid yw Ffloyd, llanc ifanc gyda llygad wydr sydd o hyd yn brolio am ei gampau rhywiol gyda merched. Ond yn y diwedd mae Ffloyd yn cyfaddef wrth Mr Cadwaladr nad yw erioed wedi cysgu gyda merch, na hyd yn oed wedi cusanu un. Mae'n gwisgo llygad wydr am i ferch fach ei drywanu yn ei lygad pan oedd yn blentyn, ac ers hynny mae arno ofn merched. Ffordd o guddio ei wir deimladau yw'r brolio. Fel Mr Schloss, mae Ffloyd yn farw erbyn diwedd y nofel, ar ôl ei ladd ei hun.

Mr Owen

Dyma denant arall, hen lanc caredig. Ond mae hwn eto yn methu wynebu realiti ei sefyllfa unig. Ei ffordd ef o ddianc yw ei gau ei hun yn y gorffennol. Ei unig sgwrs yw sôn am ei blentyndod ac am ei fam, sydd wedi marw; mae ei ystafell yn llawn lluniau ohoni. Mae ganddo gasgliad mawr o dedi bêrs, pob un a'i enw, ac mae'n siarad â'r rhain; bellach, dyma ei deulu, meddai. Mae'n ddigon hapus yn byw yn ei fyd bach dychmygol, ond mae'r byd hwnnw'n cael ei chwalu ar ôl iddo symud o dŷ Mr Schloss at ei gyfnither. Mae ei meibion hi wedi torri'r tedi bêrs a'r lluniau o'i fam, ac mae Mr Owen yn cael ei gau allan o'r tŷ yn ystod y dydd, fel ei fod yn gorfod crwydro'r strydoedd. Y ffigwr trist hwn sy'n dod i feddwl Mr Cadwaladr wrth iddo ysgrifennu ei ail lythyr at Ann Griffiths, a'r tro nesaf i Mr Cadwaladr weld Mr Owen, mae'n hapusach o lawer ac yn byw'n gysurus mewn cartref nyrsio. Mae Mr Owen yn amlwg yn credu mai dylanwad Mr Cadwaladr sydd wedi cael lle iddo yn y cartref. Gwir neu beidio, mae hyn yn gwneud i Mr Cadwaladr feddwl bod ganddo bŵer i hawlio mwy o ffafrau gan y darpar Brif Weinidog.

Cawn ddod i wybod tipyn am y tenantiaid felly. Cymeriadau eraill yn y nofel yw aelodau'r dosbarth nos. Teipiau yw'r rhain, ond maen nhw'n cael eu darlunio mewn ffordd fyw a doniol iawn. Bôr y dosbarth yw *Llysnafedd* (neu Cyril List-Norbert), dyn sy'n siarad fel petai wedi llyncu geiriaduron. Athrawes o gefn gwlad Gorllewin Cymru yw *Eileen Morton,* ac mae ganddi obsesiwn gyda thafodieithoedd. Dwy ferch ifanc, galed o'r Cymoedd yw *Menna a Manon*; maen nhw'n eistedd yng nghefn yr ystafell yn edrych yn flin, ac fel arfer yn gwrthod dweud gair. *Gary*, gŵr ifanc golygus, yw aelod mwyaf normal y dosbarth efallai. Maen nhw i gyd yn bobl sydd wedi dysgu Cymraeg, ond ym marn Mr Cadwaladr mae pawb sy'n mynd i ddosbarth nos yn mynd am eu bod nhw'n unig, nid i ddysgu am unrhyw bwnc.

Themâu

Nofel sy'n cwestiynu realiti yw *Dirgel Ddyn*, a themâu sy'n codi o hynny, ac yn gweu trwy'i gilydd, yw'r rhai canlynol.

Rhith a realiti

Mae'r nofel yn dangos mor agos at ei gilydd yw rhith a realiti. Mae'n gwneud hynny'n bennaf, wrth gwrs, trwy stori Ann a Cadwaladr. Nid ydym yn sicr a yw Ann yn bod ai peidio. Yn gyntaf, mae hi'n enw ffug ar gerdyn aelodaeth. Yna, mae'n cyrraedd yn y cnawd, ond dim ond gair Mr Cadwaladr sydd gennym am hynny. Mae'n ddiddorol sylwi nad oes yna gysylltiad rhwng Ann a gweddill cymeriadau'r nofel, ar wahân i'r ffaith ei bod yn dod i'r dosbarth. Pan ddaw hi yno am y tro cyntaf, does neb ond Mr Cadwaladr yn sylwi arni, a phan fydd y lleill yn trafod, nid yw Ann yn dweud gair. Ai dim ond i Mr Cadwaladr y mae hi'n bod? Er fod ganddo 'dystiolaeth' y lluniau a'r storïau, mae ef ei hun yn codi'r cwestiwn hwn ar y diwedd:

> Mae'n beth rhyfedd. Pan fyddaf yn cofio'r noson honno pan roddais yr enw Ann Griffiths ar y cerdyn hwnnw, a phan ddaeth hi i mewn i'r dosbarth ar y diwedd a dweud mai Ann Griffiths oedd ei henw, byddaf yn dechrau teimlo mai y fi a'i dyfeisiodd hi o'm pen a'm pastwn fy hun. (149)

Hyd yn oed os yw Ann *yn* bod, mae cwestiynau'n aros. Mae hi'n dweud cyfrinachau wrth Mr Cadwaladr, ond yna, mae'n ymddangos mai celwyddau yw'r cyfrinachau. Mae Mr Cadwaladr yn cael tair fersiwn wahanol o hanes Ann. Yn gyntaf, mae hi'n dweud ei bod yn llofrudd, yn ail mae hi'n gwadu, ac yn olaf cawn fersiwn y cyfryngau o'i gorffennol, sy'n gymysgedd o'r ddwy fersiwn gyntaf. Pa un sy'n wir? A oes unrhyw un yn wir? Erbyn y diwedd, does dim posibl gwybod beth sy'n wir a beth sy'n gelwydd. Ac mae cwestiwn arall yn codi (os yw Ann yn bod) – ai arian Ann Griffiths sydd wedi talu am le i Mr Owen yn y cartref nyrsio? Does dim prawf, ond mae Mr Cadwaladr yn hoffi'r syniad. Blacmel yw ei fwriad – bygwth cyhoeddi'r 'gwir' am Ann Griffiths er mwyn cael mwy o arian o'i chroen.

> ... dw i'n siŵr y bydd hi'n barod i gydymffurfio – wedi'r cyfan, mae'r lluniau'n dal yn fy meddiant, ac y mae pobl yn cofo'i gweld hi yn fy nghwmni; Mr Owen, Robin a'i fodryb, Siriol a Ceryl, Llysnafedd, Mrs Morton, y dyn bach â'i rifau coch a du. Ac, wrth gwrs, mae gen i storïau, yr holl storïau hyn amdani. Dw i'n siŵr na fyddai'n dymuno i mi rannu'r storïau hyn â neb. (149)

Mae'n sôn am ddefnyddio'r bobl eraill fel llygad-dystion, ond fel yr awgrymwyd, nid oes sicrwydd fod Ann Griffiths yn bod i neb ond Mr Cadwaladr. A thystiolaeth ddigon simsan yw'r casgliad o straeon sydd ganddo amdani, heb neb i warantu bod yr un gair yn wir. Ond wrth gwrs, mae papurau newydd yn byw ar straeon, gwir neu gelwydd ...

Ar y diwedd mae Mr Cadwaladr yn ei weld ei hun mewn sefyllfa rymus, diolch i Ann Griffiths:

> Pan fyddaf yn meddwl am y noson honno y rhoddais yr enw Ann Griffiths ar y cerdyn hwnnw, meddwl am fy nyfodol roeddwn i, ystryw i gynnal y dosbarth ydoedd. Ac yn awr mi fydd hi'n fy nghynnal eto; o leiaf dydw i ddim yn poeni am fy nyfodol, am y tro. Mae popeth yn dibynnu arni hi. (149)

Ar un olwg, mae Mr Cadwaladr yn dweud yma y bydd Ann Griffiths yn ei gynnal yn ariannol, hynny yw, os bydd y blacmel yn llwyddiannus. Os bydd cynlluniau Mr Cadwaladr yn gweithio, bydd arian a dylanwad Ann yn cynnal rhai o'i ffrindiau hefyd, meddai.

Ond mae yna ffordd arall o ddarllen y darn uchod, yn enwedig yng ngoleuni paragraff olaf y nofel, a ddyfynnwyd eisoes. Yno mae Mr Cadwaladr ei hun yn awgrymu mai rhith yw Ann Griffiths, ffrwyth ei ddychymyg. Os felly, ystyr y geiriau uchod yw mai'r Ann Griffiths ddychmygol sy'n cynnal Mr Cadwaladr, hynny yw, mae'n ei dwyllo'i hunan ac mae hynny'n ei gynnal. Yn ôl y dehongliad hwn, y neges yw mai twyll a chelwydd sy'n cynnal bywyd.

Celwydd a gwirionedd celfyddyd

Pwrpas Ann Griffiths yn y stori felly yw dangos mor anodd yw diffinio realiti. Ond yr un mor bwysig â'r stori ei hun yw'r ffordd mae hi'n cael ei dweud. Mewn nofel realaidd, mae'r awdur yn gwneud ei orau i gyflwyno'i stori fel stori wir; dros dro, cawn ein twyllo i gredu mai dyma realiti. Ond mae dull rhai nofelwyr ôl-fodernaidd yn wahanol. Maen nhw am dynnu sylw'r darllenydd at y ffaith mai ffuglen, celwydd yw llenyddiaeth. Yn *Dirgel Ddyn*, mae Mihangel Morgan yn gwneud hynny mewn sawl ffordd.

Trwy'r nofel, cawn ein hatgoffa mai'r stori yn ôl Mr Cadwaladr sydd yma. Ond a allwn ni ei gredu? Mae Mr Cadwaladr ei hun yn ein gwahodd i ofyn hynny, trwy gyfeirio o hyd at y ffaith nad yw ei gof yn dda iawn. Mae'n ei gyflwyno'i hun ar ddechrau'r nofel fel 'creadur blêr' ac yn cyfeirio o hyd at ei ffordd flêr o adrodd stori – mae'n flêr wrth adrodd stori Ann Griffiths ei hun, er enghraifft, ac wrth adrodd hanes bywyd y bardd T.H. Parry-Williams wrth y dosbarth.

Mae'r un peth yn wir am y ffordd y mae'n sôn am ffilmiau, ac mae'n gwneud hynny yn aml iawn. Mae gwylio ffilmiau yn hobi ganddo, ac mae'n crwydro oddi wrth ei stori o hyd i sôn am ryw ffilm. Fel arfer, mae'n rhoi plot y ffilm inni yn eithaf manwl, ond bron bob tro mae'n hanner ymddiheuro am adrodd y stori'n flêr ac am fethu cofio manylion. Gyda *Diwrnod Agored*, y ffilm gyntaf iddo sôn amdani, mae'n cofio bod dau gymeriad, dyn a dynes, yn byw mewn bloc o fflatiau yn yr Eidal a bod aderyn un ohonyn nhw'n dod â'r ddau at ei gilydd. Ond mae'n methu cofio pa un ohonyn nhw bia'r aderyn. Mae hefyd yn methu cofio'r diwedd. Er hynny mae'n cofio'r pethau sy'n bwysig iddo ef ym mhob ffilm – geiriau rhyw gymeriad, efallai, neu ryw ddigwyddiad. Fel hyn, rydym yn cael ein hatgoffa bod ffilm – fel pob math o stori – yn wahanol i bawb; bydd pobl wahanol yn cofio darnau gwahanol am wahanol resymau. A dyna ergyd arall i'r syniad mai un gwirionedd sydd.

Mae'r holl sôn am ffilmiau yn berthnasol i'r thema hon mewn ffordd arall hefyd. Fel arfer rydym yn meddwl am ffilmiau fel ffordd o ddianc rhag realiti, ond yn stori Mr Cadwaladr mae ffilm yn gallu bod yn fwy real na realiti. Mae Mr Cadwaladr yn aml yn uniaethu â chymeriad neu sefyllfa mewn ffilm. Wrth gerdded i'r dref, er enghraifft, mae'n teimlo ar wahân i bawb a phopeth, 'fel Catherine Deneuve yn ffilm Roman Polanski *Repulsion*'. Ar ddechrau'r olygfa lle mae Ann Griffiths yn ei dreisio, mae'n dod allan o'r gawod yn teimlo 'fel Sean Connery yn *From Russia with Love*'. Ac yn ei hunllef, mae Ann Griffiths wedi'i gwisgo 'fel Humphrey Bogart'.

Mae'r un peth yn wir am ddylanwad lluniau ar Mr Cadwaladr. Yn un lle, dywed iddo gael hunllef lle roedd yn dianc rhag Ann Griffiths, yn sgrechian a'i ddwylo dros ei glustiau fel y person yn y llun enwog gan Munch. Mae'r olygfa lle mae'n mynd i'r oriel hefyd yn dangos fel y mae rhith yn gallu bod yn fwy byw na realiti. Yno mae arwyddion wrth ymyl y gweithiau celf yn datgan un peth, a'r gwaith ei hun yn dangos rhywbeth arall. Rydym

ninnau'n cael ein hatgoffa bod dychymyg yn chwarae rhan bwysig yn y ffordd rydym yn gweld y byd.

Dirgelwch

O ystyried teitl y nofel, nid yw'n syndod fod dirgelwch yn un o'r themâu. Fel y gwelsom, mae Mr Cadwaladr ei hun yn dipyn o ddirgelwch. Mae hefyd wrth ei fodd gyda dirgelwch mewn pobl a phethau eraill. Dyna sy'n ei dynnu at Ann Griffiths, a dyna pam mae'n gweld ei cholli ar ôl iddi fynd, er iddi fod mor greulon wrtho. Ar ôl iddi fynd mae'n ysgrifennu cerdd amdani yn cyfleu ei dirgelwch.

Mae llenyddiaeth yn gallu bod yn llawn dirgelwch hefyd. Ar ddechrau'r nofel, mae Mr Cadwaladr yn ymgolli yn un o'i hoff gerddi , 'Y Ferch ar y Cei yn Rio'. Cerdd yw hon lle mae'r bardd, T.H. Parry-Williams, yn disgrifio merch a welodd yn Rio de Janeiro, yn dal llygoden wen ar ei hysgwydd ac yn siarad â phawb mewn iaith od. Mae'n gerdd sy'n gadael cwestiynau heb eu hateb – nid yw'r bardd yn gwybod pwy oedd y ferch, beth oedd hi'n ei wneud ar y Cei, na dim o'i hanes. Ond i Mr Cadwaladr, y dirgelwch hwn yw apêl y gerdd. Mae ambell ffilm, er enghraifft *Duel* a *The Birds*, yn apelio ato am yr un rheswm. Mae Mr Cadwaladr wrth ei fodd gyda dirgelwch.

Yn sicr, ar ddiwedd y nofel mae Ann Griffiths yn parhau'n ddirgelwch iddo. Mae'r un peth yn wir am y cymeriadau eraill. Hyd yn oed ar ôl cael rhannu eu cyfrinachau, nid yw Mr Cadwaladr yn eu hadnabod yn dda.

Pawb â'i gyfrinach, popeth â'i ddirgelwch – dyna fel y mae pethau yn y nofel hon. Does dim byd yn union fel y mae'n ymddangos.

Nofel yw hon sy'n chwarae gyda ffydd y darllenydd yn y storïwr. Mae hi'n ein harwain o un byd celwyddog i'r llall – o fyd y ffilmiau i fyd llenyddiaeth, o fyd ffantasi'r unigolyn i fyd y cyfryngau. Ac mae hi'n dangos bod bywyd go iawn yn bwydo ar yr holl gelwyddau hyn, nes ei bod hi'n anodd iawn tynnu ffin rhwng ffantasi a realiti – 'beth bynnag yw hwnnw', fel y dywed Mr Cadwaladr.

Cymharu Iaith ac Arddull

Mae Robin Llywelyn a Mihangel Morgan yn defnyddio iaith ac arddull wahanol iawn i'w gilydd. Mae un o'r gogledd (Llanfrothen) a'r llall o'r de (Aberpennar), ond mae'r gwahaniaeth yn fwy na gwahaniaeth tafodiaith.

Mae sawl beirniad wedi dweud bod Robin Llywelyn yn feistr ar drin geiriau, ac wedi tynnu sylw at yr amrywiaeth yn ei waith o ran cywair iaith.

Mae tipyn o wahaniaeth yn y Gymraeg – mwy nag yn y Saesneg – rhwng yr iaith lenyddol a'r iaith lafar. Ond mae Robin Llywelyn yn chwalu'r ffiniau, yn torri rheolau, a hynny gyda hyder a steil. Mae'n defnyddio'r iaith fel arf i greu pob math o effeithiau a deffro pob math o deimladau. Wrth adolygu un o'i nofelau, disgrifiodd Katie Gramich ei ryddiaith fel 'cyllell hardd a disglair' sy'n 'treiddio i galon y darllenydd' (*Taliesin*, Hydref 1994).

Mae'r *iaith lafar*, fel mae hi'n cael ei siarad yn y rhan o'r gogledd lle mae'r awdur yn byw, yn amlwg iawn yn y gwaith, ac nid yn y ddeialog yn unig. Mae'r naratif yn aml yn llawn o ffurfiau llafar. Ond nid y geiriau yn unig sy'n llafar; mae rhythm a chystrawen sgwrs yma hefyd. Dyma enghraifft o *Seren Wen ar Gefndir Gwyn*, lle mae'r adroddwr, Gwern Esgus, yn cusanu un ferch ('hi') ond yn meddwl am ferch arall ('ti') a'i chartref:

> Roedd ei gwefusau hi'n feddal ac yn gynnas a'i hogla blodau hi'n llenwi 'mhen i a'r haul ar fy ngwegil i'n braf a'r glaswellt oddi tanon ni'n esmwyth a finna'n cau fy llgadau ac yn ymgolli yn ei gwres hi ond fy meddwl i'n agor ynot ti ac a ninna'n caru oeddwn i'n clwad chwyrlïo'r pryfaid tes ac yn gweld o flaen fy llgadau y glaswellt emrallt yn tagu llwybr Garrag Elin a'r gwenoliaid yn gwibio uwch fy mhen a'r mwsog yn sych ar gerrig rafon a'r dŵr yn troi'n ara deg fel gloyfion yn troi yn nhwll sinc ac yn clwad gwres yr haul yn dŵad o gerrig waliau'r berllan a gwas y neidar yn mynd igam ogam a'i 'denydd o'n chwyrlïo fel hofrenydd. (30-1)

Yn ogystal â'r ffurfiau llafar gogleddol – 'hogla' (aroglau), 'clwad' (clywed), 'llgadau' (llygaid), 'ninna' (ninnau), 'rafon' (yr afon) ac yn y blaen – mae yma sŵn rhywun yn siarad neu'n meddwl yn uchel. Yn lle nifer o frawddegau, rydym yn cael un frawddeg hir; yn lle coma ac atalnod llawn, cawn y cysylltair 'a' bob tro i gydio'r meddyliau gyda'i gilydd. Wedi'r cwbl, does neb yn meddwl mewn brawddegau taclus.

Mae'r dyfyniad hefyd yn enghraifft o ysgrifennu Robin Llywelyn ar ei fwyaf lliwgar. Mae ei waith yn llawn **cymariaethau** gwreiddiol, a cheir dwy yn y fan yma – mae'r dŵr yn yr afon 'fel gloyfion yn troi yn nhwll sinc', ac adenydd gwas y neidar yn 'chwyrlïo fel hofrenydd'. *Trosiad* cyfarwydd yw dweud bod glaswellt yn tagu llwybr, ond mae'n effeithiol yn y fan yma, yn enwedig o sôn hefyd am liw emrallt y glaswellt. Cofio neu ddychmygu y mae Gwern Esgus yn y fan yma. Yna mae'n cofio nad yw Anwes yn gariad iddo erbyn hyn, a chawn y disgrifiad hwn o'i gwymp yn ôl i'r byd go iawn, lle mae'n gorwedd gyda merch ddieithr:

> Finna'n clwad y byd yn dechra oeri ac yn codi 'mhen ac yn clwad pistyll y ffynnon yn taro'n galad i'r pwll ac yn gweld cwmwl bach yn llyncu'r haul a Wennol Helyg yn agor ei llgadau ac yn codi ei phen i sbio. (31)

Mae'r **gwrthgyferbyniad** rhwng byd y dychymyg a realiti yn cael ei gyfleu yn y ddau ddyfyniad uchod, gydag ansoddeiriau fel 'meddal, 'cynnas', 'braf' ac 'esmwyth' yn cyfleu naws y profiad dychmygol, a'r disgrifiad o'r byd yn 'dechra oeri' a'r dŵr yn 'taro'n galed i'r pwll' yn cyfleu natur y byd real, digroeso. Byd oer, caled yw byd Gwern heb Anwes. Mae trosiad gwych ar ddechrau'r nofel yn disgrifio'r sefyllfa rhwng y ddau, lle dywed Gwern fod 'geiria wedi mynd yn arfa rhyngom'.

Mae rhyw ddisgrifiad trawiadol ar bob tudalen, bron, yng ngwaith yr awdur hwn. Mae cymeriad yn y stori 'Y Parch a'r Het' (*Y Dŵr Mawr Llwyd*) yn 'ddyn boliog iach a llond sach o chwerthin mewn bocs yn ei frest' ac mae yna sôn mewn stori arall, 'Crafu Ffenest', am 'hoelen o wynt' yn dod i wyneb rhywun. Yn y nofel *O'r Harbwr Gwag i'r Cefnfor Gwyn*, ceir disgrifiad llawn awyrgylch o un min nos, gyda'r 'gwres yn crynu fel cudyll' a'r 'awel yn glòs fel anadl ci'. A dychwelyd at *Seren Wen ar Gefndir Gwyn*, mae yna sôn am ddillad ar lein wedi troi'n ddu mewn mwg nes eu bod yn 'sgerbydau' sy'n hongian yn 'llac fel lladron yn crogi'. Yn yr un nofel mae un cymeriad yn 'gwenu'n hyll ... ac yn dangos llond pen o begiau duon'.

Awdur sy'n cael pleser mawr mewn chwarae â geiriau, eu sŵn a'u blas, yw Robin Llywelyn, a storïwr lliwgar a byrlymus. Mae Mihangel Morgan yn ysgrifennu mewn ffordd hollol wahanol, yn fwy ffurfiol ac yn llai llafar. Er fod blas y Cymoedd ar y ddeialog weithiau, nid yw'r gwaith ar y cyfan mewn unrhyw dafodiaith arbennig. Mae ei arddull hefyd yn fwy plaen ac uniongyrchol. Mae hynny'n arbennig o wir am un o'i straeon – y stori hir 'Hen Lwybr' yn *Hen Lwybr a storïau eraill*.

Yn y stori honno, mae hen wraig yn edrych yn ôl ar ei bywyd wrth deithio adref trwy gymoedd De Cymru mewn bws. **Arddull syml, dawel** sydd i'r stori – arddull addas i ddisgrifio bywyd gwraig na chafodd fawr o hapusrwydd na chyffro, gwraig sydd wedi plygu i'r drefn. Yn aml, ni wneir mwy na nodi ffeithiau, mewn brawddegau byr, syml:

> Roedd y rhyfel wedi dod i ben. Roedd Robert yn gweithio. Roedd Trevor yn tyfu. Roedd Mam wedi marw. (37)

Yr un arddull ffeithiol sydd i'r darnau lle mae meddwl yr hen wraig yn y presennol, wrth iddi sylwi ar y bobl sy'n dod ar y bws:

> Mae dwy fenyw wedi dod i eistedd yn y sêt o'i blaen hi. Maen nhw'n debyg iawn i'w gilydd, y naill ychydig yn hŷn na'r llall efallai. Chwiorydd. Mor agos yw'r berthynas rhwng dwy chwaer. Cofia Gwen am ei chwaer Mary – mae hi'n gweld ei heisiau hi o hyd. (45)

Mae Gwen wedi arfer cadw ei theimladau personol dan reolaeth, ac mae'r arddull yn cyfleu'r rheolaeth hon. Nid yw'n syndod cael diwedd fel hyn i'r stori:

> Mae Gwen wedi cyrraedd drws ei thŷ. Mae hi'n dodi'r allwedd yn y twll. Yn agor y drws, yn llusgo'i bagiau i mewn.
>
> Mae hi'n tynnu'i chôt, yn mynd i'r gegin ac yn gwneud disgled o de. Yna mae hi'n eistedd mewn cadair freichiau ar bwys y tân trydan. (77)

Dim ansoddeiriau, dim sôn am deimladau. Ac eto, rydym yn adnabod Gwen yn well ar ddiwedd y daith nag ar ei dechrau, ac rydym yn cydymdeimlo â hi. Er nad yw wedi agor ei chalon wrthym, rydym wedi cael cip ar ei theimladau – siom, tristwch, unigrwydd ac ychydig o hapusrwydd gofalus – yn y fordd y mae hi wedi adrodd hanes ei bywyd. Teimladau o dan yr wyneb ydyn nhw.

Stori arall lle mae'r arddull yn ddigon tebyg yw 'Mi Godaf, Mi Gerddaf' yn y casgliad *Saith Pechod Marwol*. Gŵr ifanc wedi cael digon ar fywyd sydd yma, ac yn mynd allan i brynu tabledi i'w ladd ei hun. Ond mae gweld hen sgerbwd yn yr Amgueddfa yn gwneud iddo anghofio, dros dro, am hynny. Dyma sut mae'r stori'n gorffen, ar ôl i Wil gyrraedd adref:

> Pan aeth Wil i mewn i'w stafell edrychodd o'i gwmpas ar yr holl lanast o bapurau a thuniau a phacedi. A chofiodd ei fod wedi anghofio'r tabledi. Ond roedd e wedi blino gormod i fynd nôl i'r siop a doedd dim digon o arian ganddo beth bynnag.
>
> Disgynnodd i'w wely a chwato rhwng y dillad pygddu. Penderfynodd y crogai ei hunan â'i wregys yn y bore – pe codai'n ddigon cynnar. (41)

Nid yw'r stori'n dweud bod Wil wedi newid ei feddwl am ei ladd ei hun – mae'r bwriad yn dal yno. Ond mae'r amod ar y diwedd – 'pe codai'n ddigon cynnar' – yn ddigon i wneud inni amau penderfyniad Wil. Mae'r fordd ddidaro y mae hyn yn cael ei ddweud yn gwneud inni feddwl mor flêr a damweiniol yw popeth mewn bywyd. *Digwydd* bod heb dabledi y mae Wil ar ddechrau'r stori, yna *digwydd* mynd i'r Amgueddfa a *digwydd* anghofio'r tabledi. Ac os bydd yn *digwydd* cysgu'n hwyr, ni fydd yn ei ladd ei hun. Nid drama fawr yw bywyd yng ngwaith Mihangel Morgan, ond cyfres o gyd-ddigwyddiadau digynllun, ac mae'r arddull ddigyffro yn addas i fynegi hyn.

Fodd bynnag, ni ddylem roi'r argraff fod gwaith Mihangel Morgan i gyd yn yr arddull hon. Pan fydd angen, gall fod mor fanwl ddisgrifiadol â neb. Ceir sawl enghraifft o hynny yn 'Y Ffrogiau', un o'i straeon gorau, o'r casgliad *Te Gyda'r Frenhines*. Stori am ddynion sy'n gwisgo fel merched yw hi. Ar y dechrau, cawn y darlun hwn o'r prif gymeriad, Tecwyn (neu Gloria), wrth iddo edrych arno'i hun yn y drych:

Yn lle'i wallt brith, tenau, seimllyd ei hun yn coroni'i ben roedd pentwr o
gyrlau aur; yn lle'i ruddiau pantiog llwyd roedd ganddo fochau cochion
meddal fel eirin; yn lle'i wefusau llinellsyth, roedd ganddo ddau fwa coch, a
siffrydai a sbonciai'i amrannau fel dwy bili-pala ddu, anferth. (124)

Yma mae'r gwrthgyferbyniad rhwng ymddangosiad arferol Tecwyn a'i
ymddangosiad presennol yn dod yn fyw i ni mewn argraffiadau o siâp a
lliw. Mae'r geiriau sy'n cael eu defnyddio i ddisgrifio wyneb Tecwyn y dyn
yn cyfleu llymder gwrywaidd (gwallt 'tenau', gruddiau 'pantiog',
gwefusau 'llinellsyth'); ond yn y disgrifiad o'i wyneb newydd, benywaidd,
cawn argraff o feddalwch ('pentwr o gyrlau', bochau 'meddal fel eirin') ac
ysgafnder ('dau fwa' y gwefusau, amrannau sy'n siffrwd ac yn sboncio 'fel
dwy bili-pala'). Mae lliw aur a choch wedi cymryd lle llwyd.

Yn nes ymlaen, cawn ragor o ***ddisgrifio graffig*** wrth iddo edrych eto yn
y drych, gan ganolbwyntio y tro hwn ar y wisg:

... roedd y ffrog yn ysblennydd. Yn un peth roedd hi'n dynn ac anwesai'i gorff
(a oedd yn dal yn siapus er gwaethaf ei bum mlynedd a deugain, dim ond ichi
anwybyddu'i byramid o fol). Roedd y ffrog yn ddu ar wahân i siâp ôl dwylo
dros y bronnau ffug a ymwthiai allan o'i flaen fel bra pigog Madonna – roedd
y dwylo hyn yn aur. Aur hefyd oedd ei sgidiau sodlau uchel, ei glustdlysau, y
mwclis am ei wddwg a'i ewinedd crafanglyd hirion (ffug). Aur i gyd. Aur a du.
– Gobeithio 'mod i ddim yn rhy *tacky*, meddyliodd. (126)

Ar ôl disgrifio mor frwdfrydig, mae'r nodyn o amheuaeth ar y diwedd yn
eironig, ac yn nodweddiadol o hiwmor tawel Mihangel Morgan.

Darn o 'Morys y Gwynt ac Ifan y Glaw' (Robin Llywelyn, *Y Dŵr Mawr Llwyd*)

(Cyd-destun: Dechrau stori sydd yma. Mae'r rhan fwyaf o'r stori ar ffurf
sgwrs rhwng Morys y Gwynt, Ifan y Glaw a dynes ('Mrs'), er fod y rhan
gyntaf (hyd at 'dŵad i'r tŷ') yn araith anuniongyrchol – hynny yw, yn
cyfleu'r hyn y mae Morys yn ei ddweud. 'Mrs' sy'n siarad yn yr ail ran
('Nachewch ...'), Morys yn y drydedd ran ('Ond mae Ifan ...'), Ifan yn y
bedwaredd ran ('Ond mi ddeudaist ti ...'), Morys yn y bumed ran ('Geith
Ifan ...') a 'Mrs' yn y chweched ('Cer di'n ddigon pell ...').

Daw teitl y stori o bennill Cymraeg sy'n personoli'r gwynt a'r glaw.
Mae yma hefyd nifer o ddyfyniadau o ddwy gerdd gan Dafydd ap Gwilym
– cywydd 'Yr Adfail', sy'n disgrifio bwthyn wedi ei chwalu gan storm, a
chywydd 'Y Gwynt', lle mae'r bardd yn personoli'r gwynt. Gweler yr
eirfa.)

Mae Morys y Gwynt yn y drws yn gofyn geith o ddŵad i'r tŷ. Mae o'n gwasgu'i wyneb i'r ffenest ac yn crafu'i ewinedd hyd y gwydr. Y byd sy'n rhy fawr a'r gwaith yn rhy hir. Mae o isio gorffwys mewn lle cynnes a braf. Wneith o ddim tarfu arni hi, mae o'n gaddo bihafio, wneith o ddim malu'r lluniau tro 'ma na dymchwel y byrddau. Dim ond meddwl ei fod o'n fawr mae hi; rhaid iddi gofio mwya'n byd fydd rhywbeth i'w weld o bell, lleia'n byd fydd o o'i gael yn eich llaw. Nid y fo fuodd wrthi neithiwr yn rheibio'r goedwig ac yn dwyn y dail. Gwarchod pawb, nacia, nid y fo ddaru gorddi'r môr a'i chwipio fo dros ben y cloddiau i gyd i ganol y tai. Fydd o byth ychwaith yn gwthio'i fysedd dan fondo'r toeau a'u codi fel codi caead blwch. Ar ysbrydion aflonydd Teulu Gwyn ap Nudd mae'r bai. Ar Bendigeidfran mae'r bai. Maen nhw i gyd isio cael marchogaeth yr awyr ar ei gefn. Byddant yn heidio amdano fo ac yn neidio ar ei gefn, yn gwasgu'u sbardunau pigfain i'w ystlysau ac yn ei fflangellu'n ddidrugaredd â'u gwiail tân. Pwy a wêl fai arno am grio a chnadu a'r fath giwed yn ei biwsio? Trio'u hel nhw o'na mae o. Gorfod gollwng pob dim o'i ddwylo a'i g'leuo hi rhagddyn nhw fel llwynog o flaen y cŵn. O na bai'n cael llonydd ganddyn nhw i ddilyn ei ddyletswyddau. Troi melinau gwynt i falu grawn i'w fwyd i'r plantos ydi dyletswydd gwynt, mae llenwi hwyliau gwynion a'u gwthio dros groen yr eigion yn ddyletswydd arall, rhoi pàs i'r cogau sy'n mudo draw o Affrica ydi un arall ond tydi o ddim wedi cael amser i wneud ei waith yn iawn. Pethau syml fel yna sy'n rhoi pleser iddo, nid gwneud drygau, ond maen nhw'n 'cau gadael llonydd iddo ac mae o'n mynd o'i go'n lân.

Mae o wedi bod wrthi'n ffoi erstalwm iawn, wedi ffoi droeon o gylch ac o amgylch y byd a'r ysbrydion aflonydd ar ei sodlau dragywydd yn ei hambygio ac yn ei gosbi. Newydd gael pum munud o flaen arnyn nhw mae o, wedi cael ei draed yn rhydd am y tro cyntaf ers cantoedd, plîs wneith hi agor y drws! Neu'r ffenest ... dim ond iddo fo gael dŵad i'r tŷ, dim ond am dipyn bach ... ac os ceith o ddŵad i mewn, a geith Ifan y Glaw ddŵad i mewn hefo fo? Mae Ifan fan hyn yn crio isio cael dŵad i'r tŷ.

Nachewch, chewch chi ddim dŵad i'r tŷ ar ôl ichi dynnu'r lle 'ma'n gareiau y tro dwytha. Finna'n ddigon gwirion i goelio dy lol di, Morys, ac yn ddigon diniwed i gredu fod dagrau'r hen Ifan 'na'n dweud y gwir. Rhai drwg ydach chi. Deud wrth Ifan am fynd yn ôl i'w nyth yn y gogledd lle mae wyau'r glaw yn deor fel ffynhonnau, tydan ni ddim isio'i deip o ffordd hyn. Deud wrtho fo am fynd i ganol anialwch Affrica lle mae'r haul yn boeth a sychad yn cau gyddfau'r nadroedd, mi gâi groeso'n fanno. Toes mo'i angen o'n fan hyn, na chditha chwaith, Morys. Cerwch o'ma i uffern ar ôl yr helynt hwyr a wnaethoch chi'r tro 'blaen.

Ond mae Ifan yn edifar iawn am be wnaeth o, Mrs bach, neith o mohono fo eto. Mae o'n crio go iawn isio cael dŵad i'r tŷ, Mrs, clywch ei lais o'n cwyno. Awn ni ddim o'ma tan gawn ni ddŵad i mewn. Ninnau wedi dŵad o le pell i edrych amdanoch chi, Mrs, roeddan ni'n meddwl yn siŵr y basan ni'n cael croeso. Ydi'n croeso ni wedi mynd yn brin yma, Mrs? Does bosib eich bod chi'n dal dig wrthon ni ar ôl y tro 'blaen? Mae hi'n falch o'n gweld go iawn, Ifan, mi ddaw at ei choed yn y munud paid ti â phoeni ac wedyn gawn ni fynd i mewn. Tyd, Ifan, cyfyd ar fy nghefn i, awn ni am dro bach dros y fron fry a draw am fynwes y dwyrain inni roi cyfle i Mrs bach hwylio sgram inni.

Ond mi ddeudaist ti y basan ni'n cael lle da fan hyn. Be wnawn ni rŵan, Morys? Mi dwi wedi blino teithio eangderau'r sygnau diwael ar dy gefn. Dwi'm isio mynd am dro efo chdi. Dwi'n wlyb at fy nghroen a dydi'r carpiau yma sgynna'i amdana'i'n da i ddim pan fydd yr oerfel yn gafael ym mêr fy esgyrn. Carpiau hudol ar y diawl. Tydyn nhw'n cadw dim arna'i rhag y cenllysg mawr sy'n hyrddio'r o'r mynydd. Mae'i ofn o arna'i, Morys, ac mi ddaw eto amdana'i heno a 'ngholbio fi'n ddu las a'm lluchio i'r môr. Fedra'i ddim dioddef noson arall fel 'na. Felly, plîs gofyn iddi eto, Morys, gofyn gawn ni fynd i'r tŷ. Mrs bach a chditha fel gwac a mew, ddeudaist ti, yn dallt eich gilydd i'r dim, yn benna ffrindiau. Fedra'i ddim coelio y basach di'n fy nhwyllo i fel hyn. Deud wrthi eto na wnawn ni ddim llanast, os wyt ti mor agos ati. Deud wrthi mai trwsgwl oeddwn i'r tro dwytha, trwsgwl a blêr, glaw ifanc oeddwn i yn goesau i gyd fel ebol blwydd, doeddwn i heb arfer hefo cyllell a fforc – a chofia ddeud wrthi bod yn ddrwg gen i am y llestri. Cofia ddeud wrthi mai chdi ddaru droi'r byrddau a chwalu'r lluniau a chwythu'r tân i fyny'r simdde, nid Ifan y Glaw. Chdi wnaeth gur hyd y mur main, nid y fi. Deud ti wrthi yr a'i i mewn ar fy mhen fy hun. Wnes i fawr o'i le'r tro 'blaen. Gwranda, os ca' i fynd i mewn mi ro' i air da drosot ti ac ella wedyn y daw hi at ei choed a'th adael dithau i mewn. Ac os ydi hi'n 'cau gwrando mi sleifia'i drwodd i'r cefn pan ga'i 'i chefn hi a dy adael di mewn beth bynnag, ac mi geith hi weld na tydan ni ddim yn wynt ac yn law drwg go iawn.

Geith Ifan ddŵad i'r tŷ ar ei ben ei hun 'ta, Mrs bach? Mae o'n gaddo bihafio, nid arno fo roedd y bai tro dwytha yn nacia? Dwi'n dallt pam nad ydach chi isio 'nghynnwys i, yndw'n iawn, ond pam cosbi Ifan druan a fynta heb wneud dim byd o'i le? Dewch Mrs bach, agorwch gil y drws iddo fo, mae o'n gaddo bihafio.

Cer di'n ddigon pell 'ta, Morys y Gwynt, draw i'r traeth â chdi lle galla'i dy weld di'n corddi'r tonnau. Rŵan, Ifan, a dim ond os wyt ti'n gaddo bod yn law da, tyd i mewn am funud ond dwi ddim isio gweld chdi'n chwarae'n wirion, cofia, neu allan ar dy ben fyddi di, dallt? Wannwl dad, rwyt ti'n wlyb diferu, hogyn, cer i'r cefn y munud yma i dynnu'r hen garpiau gwlybion yna cyn iti gael annwyd. Mi gei di ddigon o dyweli glân yn y cwpwrdd cynnes. Mae 'na ryw hen ddillad i'r mab yn y gist wneith yn iawn ichdi wedyn. Tyd â'r hen bethau yna imi wir, gael imi'u sychu nhw o flaen tân. Rwyt ti'n crynu fel deilen, hogyn, wyt ti ddim yn dda? Tyd, mi gei baned gnesol a bechdan grasu ac mi ddoi di wedyn, fyddi ddim yr un un.

Tasgau

1. Dywedwch yn gryno, yn eich geiriau eich hun, beth sy'n digwydd ym mhum paragraff cyntaf y darn uchod, h.y. y pedair rhan gyntaf.
2. Soniwch am y ffordd mae'r darn hwn yn cyfleu agweddau'r cymeriadau at ei gilydd, yn cyfleu teimladau ac yn dod â'r sefyllfa dan sylw yn fyw i ni. Gallwch gyfeirio'n ôl at ein trafodaeth ar ffantasi a phersonoli, ac at ein trafodaeth ar nodweddion iaith ac arddull Robin Llywelyn.
3. Daw'r darn i ben gydag Ifan yn dweud wrth Morys beth i'w wneud. Yn y stori, mae Morys yn cael sgwrs arall gyda'r wraig wedyn. Lluniwch eich fersiwn eich hun o'r sgwrs (sgwrs fer), gan fynd â'r stori i unrhyw gyfeiriad yr hoffech.
4. Ysgrifennwch ddarn byr yn personoli tân neu eira.

Darn o *Dirgel Ddyn* (Mihangel Morgan)

(*Cyd-destun*: Yn y darn hwn mae Mr Cadwaladr, yr adroddwr, yn dweud hanes diwrnod pan welodd Ann Griffiths, y ddynes newydd yn ei ddosbarth nos, unwaith eto, ond mae'n sôn hefyd am rai o'r cymeriadau sy'n byw yn y tŷ.)

Yr wythnos honno, un diwrnod (y dydd Sadwrn, mae'n debyg, dw i ddim yn cofio'n iawn) roeddwn i'n dringo'r grisiau a arweiniai i'm stafell, a minnau wedi bod yn siopa, pan agorodd Mr Owen ddrws ei stafell a gofyn imi fynd ato am gwpanaid o de.

"Gallwn i ladd cwpanaid o de," meddwn i – peth gwirion i'w ddweud (sut mae lladd cwpanaid o de?) ond roedd syched anghyffredin arnaf. "Mi af â'r negesau 'ma i'm stafell. Bydda i'n ôl mewn chwinicad." Ac felly y bu.

"'Ti wedi bod yn siopa, boi?" gofynnodd Mr Owen yn ei lais bach gwichlyd.

"Ydw. Bara, caws, coffi, wyau, ffa."

"Picio i lawr i'r siop ar y gornel fydda i y dyddiau 'ma. Alla' i ddim cario pethau'n ôl o ganol y ddinas. Rhy bell a dw i ddim yn licio bysiau. Dim lle arnyn nhw ac maen nhw'n siglo dyn gormod. Ond ro'n i'n licio'r siopau – yr aroglau, y lliwiau, y pacedi, y siapiau, y silffoedd di-ben-draw, y papurau."

Tywalltodd y te â'i ddwylo bach pinc gan estyn y cwpan i mi.

"Diolch, Mr Owen, perffaith fel arfer."

"Fyddai Mam ond yn prynu'r pethau gorau bob amser – danteithion, amrywiaeth o gawsiau, nage dim ond *cheddar* plaen o hyd, ond pethau crwn coch, oren, melyn, trionglau melyn a glas, oren a gwyrdd. Ac wedyn ffrwythau: grawnwin coch a gwyrdd, heb hadau, melys a blas gwin arnyn nhw; orennau bach bach, melys eto; afalau gwyrdd a choch, a'u crwyn yn gaboledig; bananas melyn – ro'dd Mam yn ofalus iawn gyda'r bananas bob amser; cymerai'i hamser i ddewis y rhai mwyaf di-glais a difrycheulyd o felyn eu crwyn. Wedyn y llysiau: moron; tatws (roedd y tatws yn gorfod bod cystal â'r afalau bron); bresych gwyrdd; merllys, hyd yn oed mewn bwndeli bach taclus; a blodfresych, gwyn a chaled. On'd oes gen i gof da, manwl, boi, gwell na'r cyffredin?"

"Oes, eithriadol."

"Wedyn y pysgod: mecryll, penwaig, cocos bach oren, corgimychiaid pinc â'u llygaid a'u coesau a'u teimlyddion hir, a lledenod gwyn, fflat a smotiau oren ar eu cefnau llwyd."

"Rŷch chi'n rhyfeddod, Mr Owen."

"Ac yna fy hoff bethau, y cigoedd. Cigoedd pinc a choch a gwyn."

"O! peidiwch â sôn am gig, da chi, Mr Owen."

"Yr ham a'r bacwn a'r eidion."

"O! na! Dw i'n erfyn arnoch chi."

"Pam, be' sy'n bod arnoch chi?"

"Dw i ddim yn bwyta cig. Mae meddwl am y gwaed a'r lladd yn atgas."

"Be'? Ddim hyd yn oed ffowlyn, cyw iâr, clacwydd, gŵydd? Beth ŷch chi'n wneud amser Nadolig?"

"Peidiwch â sôn rhagor am gig, mae'n troi fy stumog, yn codi cyfog arna' i."

"Paid â bod yn wirion, boi, byddai Mam yn prynu cig oen a chig carw weithiau, hyd yn oed ..."

Ar hynny, rhedais am y tŷ bach. Druan o Mr Owen, roedd e wedi mynd i dipyn o hwyl yn rhestru ei hoff fwydydd a doedd e ddim yn deall f'ymadawiad disymwth.

O ffenestr y stafell ymolchi, gallwn weld Mr Schloss yn yr ardd yn nghwmni'i gath. Roedd e'n gwisgo'i *toupée* newydd o hyd. Roedd y clawr o wallt wedi llithro i un ochr o'i ben. Allwn i ddim deall beth oedd e'n ei wneud yn yr ardd. Yn sicr, doedd e ddim yn garddio. Roedd yr ardd yn domen, yn anialwch o sbwriel a chwyn, darnau o hen feiciau a gwelyau a matresi yn pydru ac yn rhydu. Prin bod 'na le iddo fe a'i gath symud.

Meddyliais am hen ffilm Hitchcock, *Rear Window*, lle mae James Stewart wedi torri'i goes ac yn gorfod gorffwys yn ei fflat. Mae'n gwylio'i gymdogion dros y ffordd yn byw eu bywydau – mae'n gallu gweld i mewn i'w ffenestri nhw. Ac mae ef a Grace Kelly yn dechrau amau bod Raymond Burr wedi lladd ei wraig a chladdu'i chorff yn yr ardd. Yn y diwedd, maen nhw'n llwyddo i ddal Raymond Burr a chael yr heddlu yno. Ond dw i ddim yn cofio sut a dw i ddim yn cofio a oedd e wedi lladd ei wraig a'i chladdu hi ynteu a oedd e wedi gwneud rhywbeth arall. Ta beth, roedd e'n euog, ac fe'i daliwyd, diolch i'r ffaith fod James Stewart wedi bod yn gwylio bywydau preifat ei gymdogion trwy ei delesgôp yn ddigywilydd o fusneslyd.

Yn y prynhawn, yn ddiweddarach, aeth Ffloyd a finnau am dro yn y ddinas. Crwydro'r siopau gan edrych ar bethau na allen ni eu fforddio. Camerâu, fideos, radios, setiau teledu, yn enwedig y rhai bach y gellid eu cario mewn poced; yn wir, apeliai pob teclyn trydan at Ffloyd. Pan na fyddai'n syllu ar ryw chwaraeydd crynoddisgiau neu recordydd, byddai Ffloyd yn syllu ar y merched yn mynd heibio ac yn gwneud ensyniadau a sylwadau hollol ddi-chwaeth. O bryd i'w gilydd, dywedai: "'Ti'n gweld hon'na â'r gwallt golau a'r tits mawr? Dw i wedi cael hon'na."

Buaswn i wedi hoffi mynd i weld ffilm dda ond doedd yr un ffilm werth ei gweld yn cael ei dangos yn y ddinas y prynhawn hwnnw. Gwyddwn hefyd nad oedd mynd i weld ffilm ar brynhawn Sadwrn yn gynllun da; mae gormod o bobl yn gwneud yr un peth, ac yn fynych bydd heidiau o blant neu griwiau o lanciau yn disgyn ar y sinema ac yn piffian chwerthin neu'n siarad neu'n bwyta pop-corn a chreision neu'n taflu pethau trwy'r awyr ac yn gwneud mwstwr drwy gydol y ffilm. Wedyn mae'n anobeithiol. Ni all dyn ganolbwyntio yn y fath awyrgylch. Mae'n llawer gwell yn y prynhawn, ganol yr wythnos – y pryd hynny mae'r sinemâu'n hanner gwag, yn amlach na pheidio.

Ond i fynd yn ôl at y prynhawn hwnnw. Roedd Ffloyd a finnau wedi bod yn cerdded mewn cylchoedd am hydoedd ac yn dechrau diflasu. Roedd canol y ddinas yn orlawn, a phawb yn gorfod cerdded yn araf, dim lle i symud. Yna, yn annisgwyl, gwelais Ann Griffiths yn y pellter yn diflannu i gyntedd un o'r siopau mawr, crand. Roedd ei gwisg yn drwsiadus a chwaethus fel arfer; glas tywyll a hufen oedd y lliwiau y tro hwn, ac roedd hi'n cerdded yng nghwmni dyn tua'r un oedran â hi. Roedd e'n denau, ychydig yn fyrrach na hi (ond roedd Ann yn fenyw dal a gwisgai esgidiau sodlau main a ychwanegai at ei thaldra). Roedd yntau'n daclus; siwt dywyll a chôt fawr ysgafn, olau. Roedd ganddo wallt llwyd trwchus. Wrth iddi fynd i mewn i'r siop, agorodd y dyn y drws mawr gwydr iddi.

"Be' sy'n bod arnat ti?" gofynnodd Ffloyd, wedi sylwi arnaf yn sefyll yn stond. "Wedi gweld merch 'ti'n ffansïo?"

Dyna pam roeddwn i'n hoffi Ffloyd. Un llwybr oedd i'w feddyliau. Roedd hyd yn oed ei ddiddodeb mewn pethau trydan yn tarddu o'r unig syniad hwnnw. Pe gallai gael yr holl declynnau yna – y camerâu, yr heiffeis, y teledu lliw anferth a'r teledu lliw bach – gallai wneud gwell argraff ar y merched. Gall dyn ddibynnu ar un fel Ffloyd, rhywun mor unllygeidiog (trueni am y gair mwys); gellir bod yn sicr ohono; bod â ffydd yn y ffaith y bydd popeth sydd yn digwydd o'i gwmpas yn ddŵr i felin ei feddylfryd cyson.

Ac wrth gwrs, roedd cysgod o wirionedd yn ei sylw y tro hwnnw. Am y tro cyntaf, cyfaddefais wrthyf fy hun, efallai fy mod wedi fy swyno gan Ann Griffiths. Oblegid cenfigen oedd yr unig air cymwys i ddisgrifio'r hyn a deimlais wrth ei gweld hi yng nghwmni'r dyn dieithr, cyfoethog a bydolddoeth yr olwg.

Roedd y datguddiad wedi fy mwrw oddi ar f'echel braidd.

"Gad inni fynd i rywle am rywbeth i'w yfed," meddwn. Felly aethon ni i'r dafarn agosaf.

Tasgau

1. Dywedwch yn gryno, yn eich geiriau eich hun, beth sy'n digwydd yn hanner cyntaf y darn hwn (hyd at 'yn ddigywilydd o fusneslyd').
2. Sut mae'r darn hwn yn dangos inni fod pawb yn ei fyd bach ei hun, gan gynnwys yr adroddwr ei hun? Rhowch eich argraffiadau o bob un cymeriad sy'n berthnasol i'r pwynt hwn. Gallwch gyfeirio'n ôl at ein trafodaeth ar gymeriadau a themâu *Dirgel Ddyn*.
3. Gweld Ann eto yw uchafbwynt y darn hwn i'r adroddwr, ond soniwch am y ffordd y mae'r adroddwr yn dweud y stori, a sut mae hynny'n cyfrannu at y thema rhith a realiti. Gallwch gyfeirio'n ôl at y drafodaeth ar y thema.
4. Dychmygwch eich bod yn rhannu tŷ gyda thri neu bedwar o bobl eraill a disgrifiwch nhw mewn darn byr.

5. Cymharwch y darn o 'Morys y Gwynt ac Ifan y Glaw' a'r darn hwn gan fanylu ar dechnegau arbennig a natur yr iaith a dweud sut mae'r pethau hynny'n cael eu defnyddio i gyfleu agwedd neu deimladau neu ddarlun.

Darllen Pellach

Cyfrolau eraill Robin Llywelyn

Seren Wen ar Gefndir Gwyn (Gomer ar ran Llys yr Eisteddfod, 1992)
O'r Harbwr Gwag i'r Cefnfor Gwyn (Gomer ar ran Llys yr Eisteddfod, 1994)

Rhai ymdriniaethau â *Y Dŵr Mawr Llwyd*

Jane Aaron, *Barn*, Medi 1995, tt. 39-40
Angharad Tomos, *Taliesin,* Gaeaf 1995, tt. 132-4
T. Robin Chapman, *Llais Llyfrau*, Gaeaf 1995, tt. 11-12
John Rowlands, *Golwg*, 10 Awst 1995, t. 25

Cyfweliadau gyda Robin Llywelyn

R. Gerallt Jones, 'Holi Llenor Porthmeirion', *Llais Llyfrau*, Hydref 1993, tt. 7-8
Robin Gwyn, 'Seren Wib? Holi Robin Llywelyn', *Golwg*, 20 Awst 1992, tt. 21-3

Cyfrolau eraill Mihangel Morgan

Hen Lwybr a storïau eraill (Gomer, 1992)
Saith Pechod Marwol (Y Lolfa, 1993)
Te Gyda'r Frenhines (Gomer, 1994)
Tair Ochr y Geiniog (Gomer, 1996)

Rhai ymdriniaethau â *Dirgel Ddyn*

Cyfansoddiadau a Beirniadaethau Eisteddfod Genedlaethol Cymru De Powys, Llanelwedd 1993, gol. J. Elwyn Hughes, tt. 95-6, 98-9, 103-4
Martin Davis, *Taliesin*, Gaeaf 1993, tt. 115-117
Meg Elis, *Barn*, Medi 1993, tt. 45-6
M. Wynn Thomas, *Golwg*, 26 Awst 1993, tt. 20-1
Harri Pritchard Jones, *Llais Llyfrau*, Gaeaf 1993, t.12

Cyfweliadau gyda Mihangel Morgan

Dylan Iorwerth, 'Y Dirgel Ddyn', *Golwg*, 19 Awst 1993, tt. 21-3
John Rowlands, 'Holi Mihangel Morgan', *Taliesin*, Gaeaf 1993, tt. 9-17

Geirfa

tud. 85 lercian (< llercian) – *to lurk*

slawer (< ers llawer) dydd – *long ago*

Saith Pechod Marwol – *'Seven Deadly Sins'*

ffuglen wyddonol – *science fiction*

tud. 86 hud a lledrith – *magic*

fodau (< bodau) – *beings*

wrthrychau (< gwrthrychau) – *objects*

y Pair Dadeni – *the Cauldron of Rebirth*

tud. 87 Llydnod Hynod – *Remarkable Young Animals*

llgada (< llygadau)

dadsaethu – *to bring alive again after shooting dead, i.e. to 'deshoot'*

tud. 88 gwleidyddiaeth adain dde – *right-wing politics*

ragfarnllyd (< rhagfarnllyd) – *prejudiced*

edmygwyr – *admirers*

tud. 90 torri cŷt – *to swank*

smalio – *to pretend*

a ballu (< a rhywbeth felly) – *and so on*

yn gês i gyd – *a real case, i.e. a character*

jarffio – *to swagger*

fatha (< yr un fath â) sgin (< sydd gan) armadilo

tud. 90 dishyrt (< tishyrt) – *T-Shirt*

stremps – *stains*

slefran fôr – *jellyfish*

dwi'm isio (< dwi ddim eisiau)

Welsh Nash – *Welsh Nationalist*

mwn (< mi wn) – *I suppose*

tud. 92 israddol – *inferior*

ymlusgiad – *reptile*

tydi o'm (< tydi o ddim)

gwleidyddol gywir – *politically correct*

'nhrethi (< fy nhrethi) – *my taxes*

penchwiban – *scatty*

Sŵ Gaer – *Chester Zoo*

tud. 93 gydymffurfio (< cydymffurfio) – *to conform*

tud. 94 dallt (< deall)

'ddylis (< ni feddyliais) i ddim – *I didn't think*

groendenau (< croendenau) – *touchy*

y llwydion – *the greys, i.e. grey squirrels*

cyw – *dear (lit. chick - term of endearment)*

tud. 97 personoli – *to personify*

pitw – *tiny*

goglais fy ngwegil – *to tickle the back of my neck*

124

tud. 97 dwrdio – *to scold*

surbwch – *surly*

treiglo – *to trickle*

slei bach – *slyly*

fel gafr ar d'ranau – *excitedly (lit. like a goat in a thunderstorm)*

unffurfrwydd – *uniformity*

dim iot – *not one iota*

rownd y bedlan – *constantly*

tud. 98 mynd i gyd fel dyn â chrynfa o'r cryd – *shivering all over like a man with a fit of ague*

cylchu'r copaon – *circling the summits*

fel petaent yn crogi ar gortynnau – *as if they were hanging from ropes*

tud. 99 Cantre'r Gwaelod – *the Lowland Hundred ('Hundred' being a historical term for a subdivision of a country or shire)*

ceidwad y llifddorau – *the guardian of the floodgates*

cronfa ddŵr – *reservoir*

tud. 100 diwylliant byd-eang Eingl-Americanaidd – *world-wide Anglo-American culture*

mygu – *to stifle*

Dirgel Ddyn – *'Mysterious Man'*

tanseilio – *to undermine*

realiti gwrthrychol – *objective reality*

tud. 101 aelod ffug – *fake member*

tud. 101 emynwyr – *hymn-writers*

feddwyn (< meddwyn) – *drunkard*

tud. 102 gweld eisiau – *to miss*

tud. 103 bygwth cyfraith arno – *to threaten to take him to court*

yn y dirgel – *in secret*

y darpar Brif Weinidog – *the future Prime Minister*

tud. 104 ar ddelw – *after the fashion of*

tud. 105 hunandybus – *conceited*

tud. 106 eithr – *but*

driflan – *to dribble*

tud. 107 herlid (< erlid) – *to persecute*

cymryd arno – *to pretend*

drywanu (< trywanu) – *to stab*

tud. 108 Llysnafedd – *Slime (nickname)*

o'm pen a'm pastwn fy hun – *off my own bat, through my own efforts*

tud. 109 cael mwy o arian o'i chroen – *to squeeze more money out of her*

llygad-dystion – *eyewitnesses*

simsan – *weak*

ystryw – *trick*

am y tro – *for the time being*

ffrwyth ei ddychymyg – *figment of his imagination*

dros dro – *temporarily*

tud. 110 ôl-fodernaidd – *post-modern*

uniaethu â – *to identify with*

tud. 112 gweld ei cholli – *to miss her*

tud. 113 chwyrlïo'r pryfaid tes – *the whirling of the heat-flies*

rafon (< yr afon)

troi'n ara deg fel gloyfion yn troi yn nhwll sinc – *turning slowly like water poured off boiled vegetables in the plug-hole of a sink*

gwas y neidar – *dragon-fly*

mynd igam ogam – *to zigzag*

'denydd (< adenydd) – *wings*

cysylltair – *conjunction*

tud. 114 geiria wedi mynd yn arfa rhyngom – *words have turned into weapons between us*

Y Parch (< Parchedig) – *The Rev. (i.e. Reverend)*

min nos – *evening*

cudyll – *kestrel*

begiau (< pegiau) – *clothes-pegs*

byrlymus – *lively*

plygu i'r drefn – *to bow to the inevitable*

tud. 115 chwato (< cwato – cuddio)

dillad pygddu – *sheets that are black with dirt*

ddidaro (< didaro) – *casual*

tud. 116 pantiog – *hollow*

llinellsyth – *as straight as a line*

siffrydai a sbonciai'i amrannau – *his eyelids fluttered and danced*

tud. 116 llymder – *starkness*

crafanglyd – *clawing*

araith anuniongyrchol – *indirect speech*

cywydd – *a traditional Welsh poetic form consisting of couplets of seven-syllable lines*

tud. 117 gaddo (< addo)

mwya'n byd ... lleia'n byd – *the bigger ... the smaller*

Gwarchod pawb – *God help us*

nacia (< nage)

ddaru (wnaeth)

fondo (bondo) – *eaves*

Teulu Gwyn ap Nudd – *the fairies. Gwyn ap Nudd is a mythological figure in early Welsh literature, portrayed as king of the fairies or Annwn (the Underworld).*

Bendigeidfran – *a giant portrayed in the Mabinogi*

sbardunau pigfain – *pointed spurs*

gwiail tân – *fiery rods*

chnadu (< nadu) – *to howl*

a'r fath giwed – *with such a gang*

biwsio (< piwsio) – *to abuse*

o'na (< oddi yna)

'i g'leuo hi – *to scarper or flee*

O na bai'n cael llonydd ganddyn nhw – *Oh, if they would just leave him alone*

tud. 117 rhoi pàs i'r cogau – *to give the cuckoos a ride*

gwneud drygau – *to make mischief*

'cau (< nacâu) – *to refuse*

mae o'n mynd o'i go'n lân – *he goes completely mad (i.e. loses his temper)*

droeon (< troeon) – *several times*

ar ei sodlau dragywydd – *constantly on his heels*

hambygio – *to harass*

pum munud o flaen – *five minutes' start*

ers cantoedd – *for ages*

ar ôl ichi dynnu'r lle 'ma'n gareiau – *after you smashed this place to pieces (lit. pulled this place to laces or strips)*

deor – *to hatch*

Toes (< nid oes)

o'ma (< oddi yma)

tud. 118 yr helynt hwyr – *a quote from Dafydd ap Gwilym's 'Yr Adfail': 'Ai'r gwynt a wnaeth helynt hwyr?' = 'Was it the wind in the night that caused this havoc?'*

tro 'blaen (< y tro o'r blaen) – *last time*

Does bosib – *Surely*

dal dig – *to bear a grudge*

mi ddaw at ei choed – *she'll come to her senses (lit. to her trees)*

tud. 118 Tyd (< tyrd) – *Come on*

cyfyd – *get up*

dros y fron fry – *a quote from Dafydd ap Gwilym's 'Y Gwynt', where the poet marvels at the wind's speed as it runs 'dros y fron fry' = 'over the hill-side above'.*

fynwes (< mynwes) y dwyrain – *another quote from 'Yr Adfail': 'Ystorm o fynwes dwyrain/A wnaeth gur hyd y mur main.' = 'A storm from the bosom of the east/Caused harm to my stone wall.' The second line of this couplet is quoted later on in the piece.*

hwylio sgram – *to prepare a feast*

eangderau – *expanses*

sygnau diwael – *another quote from 'Y Gwynt', where the poet says that the wind comes from the 'sygnau diwael' = 'the splendid constellations'.*

Dwi'm (< Dwi ddim)

carpiau – *rags*

sgynna'i (< sydd gen i)

ar y diawl – *my foot*

'ngholbio fi'n ddu las – *to beat me black and blue*

fel gwac a mew – *thick as thieves*

i'r dim – *perfectly*

benna (< pennaf) ffrindiau – *the best of friends*

127

tud. 118 wnaeth gur hyd y mur main –
see '*fynwes y dwyrain*' above

Wnes i fawr o'i le – *I didn't do much wrong*

pan ga'i 'i chefn hi – *when her back is turned*

na tydan ni (< nad ydan ni)

'ta (< ynteu) – *then*

'nghynnwys i – *to welcome me*

fynta (< yntau)

agorwch gil y drws – *open the door a little bit*

draw i'r traeth â chdi – *off to the beach you go*

tud. 119 Wannwl dad (< Duw annwyl dad) – *Dear God*

wlyb (< gwlyb) diferu – *soaking wet*

gael imi'u sychu nhw – *so that I can dry them*

gnesol (< cynhesol) – *warming*

bechdan (< brechdan) grasu – *toast*

fyddi di ddim yr un un – *you won't be the same one*

negesau – *goods or groceries*

mewn chwinciad – *in a twinkling*

tud. 120 Picio i lawr i'r siop ar y gornel – *to pop down to the corner shop*

tud. 120 di-glais – *unbruised*

difrycheulyd o felyn eu crwyn – *with flawlessly-yellow skins*

merllys – *asparagus*

teimlyddion – *antennae*

da chi ⎱
Dwi'n erfyn arnoch chi ⎰ – $\left.\begin{array}{c} I \, beg \\ [of] \, you \end{array}\right.$

clacwydd – *gander*

ffowlyn ⎱
cyw iâr ⎰ – *chicken*

mynd i dipyn o hwyl – *to get rather carried away*

f'ymadawiad disymwth – *my sudden departure*

tud. 121 clawr – *cover*

domen (< tomen) – *tip*

anialwch – *wilderness*

ynteu – *or*

Ta beth – *Anyway*

yn ddigywilydd o fusneslyd – *shamelessly nosy*

yn fynych (< mynych) – *often*

piffian chwerthin – *to giggle*

drwsiadus (trwsiadus) – *smart*

tud. 122 gair mwys – *pun*

yn ddŵr i felin ei feddylfryd cyson – *grist to the mill of his one-track mind*

bydol-ddoeth yr olwg – *wordly-wise in appearance*

fy mwrw oddi ar f'echel – *to throw me (lit. to throw me off my axle)*